Curso de Español Lengua Extra

Curso de español rápido

META ELE FINAL 2

Libro del alumno

B1+ → B2

GRUPO DIDASCALIA, S.A.

José Ramón Rodríguez Martín
Lucas Pérez de la Fuente

edelsa
GRUPO DIDASCALIA, S.A.
Plaza Ciudad de Salta, 3 - 28043 MADRID - (ESPAÑA)
TEL.: (34) 914.165.511 - (34) 915.106.710
FAX: (34) 914.165.411
e-mail: edelsa@edelsa.es - www.edelsa.es

Primera edición: 2014
Impreso en España/*Printed in Spain*

© **Edelsa Grupo Didascalia S. A.**, Madrid 2014
Autores: José Ramón Rodríguez Martín y Lucas Pérez de la Fuente

Dirección y coordinación editorial: Departamento de Edición de Edelsa
Diseño de cubierta: Departamento de Imagen de Edelsa
Diseño de interior y maquetación: Estudio Grafimarque S.L.
Fotografías: Photos.com
Audio: Locuciones y montaje sonoro: ALTA FRECUENCIA MADRID. Tel. 91 5195277, www.altafrecuencia.com
Voces de la locución: Arantxa Franco de Sarabia Rosado, Jaime Moreno Vilela, José Antonio Páramo
Brasa y Juana Femenía García.

Imprenta: Egedsa
ISBN: 978-84-7711-766-7
Depósito legal: M-745-2014

Prólogo

Este libro que tienes entre las manos se ha escrito y diseñado para ti, que necesitas alcanzar el nivel B2 en un curso académico, que aspiras a obtener el Diploma de Español como Lengua Extranjera nivel B2, que necesitas que tu competencia comunicativa se desarrolle a buen ritmo y que te permita desenvolverte con garantías en situaciones profesionales con empresas y empresarios hispanos. Para alcanzar tan ambiciosos fines, siguiendo un enfoque orientado a la acción, te proponemos un aprendizaje significativo y así, por medio de la resolución de tareas, capacitarte para sobrevivir en las situaciones cotidianas que te puedes encontrar cuando estás en un contexto de inmersión.

En este volumen conseguirás alcanzar la competencia comunicativa descrita para cada nivel por el *Marco común europeo de referencia para las lenguas* (B1, B2.1, B2.2) y adquirirás los componentes léxicos y gramaticales correspondientes listados por los *Niveles de referencia para el español*.

De los 18 módulos que componen esta obra, cada seis corresponde a uno de los niveles (del módulo 1 al 6, el nivel B1+; del 7 al 12, el nivel B2.1, del 13 al 18, el nivel B2.2). Estos módulos tienen coherencia temática y, en todos los casos, apuntan desde el principio a una conversación final. Cada módulo se concibe como un camino, como un proceso, en cuatro pasos, que culmina, cada uno de ellos, con una actividad significativa. En los tres primeros pasos, se propone que comprendan un texto leído y que escriban un texto, que comprueben un texto locutado y que se expresen oralmente, y que comprendan e interactúen. El paso 4 es un repaso y una invitación a la conversación o tertulia.

A primera vista, con esta estructura, notarás claramente la progresión en el aprendizaje y, desde el principio de cada módulo, conocerás la propuesta de producción final que es, en todo caso, el eje del trabajo y la meta a la que debes llegar.

Esta obra se completa con un cuaderno de ejercicios, para que practiques la lengua todo lo que puedas y así estés bien preparado para tu futuro en español.

Los autores

Competencia pragmático-funcional

Competencia sociolingüística

- Presentarte.
- Relatar.
- Comprender mensajes y recados.

- Información personal.

- Expresar la opinión afirmativa y negativa.
- Presentar una causa y una finalidad.
- Opinar mostrando acuerdo o desacuerdo.

- Los estereotipos.

Debate sobre una guía de estereotipos.
Pág. 22

- Valorar datos, personas y lugares.
- Constatar la realidad y refutarla.
- Sugerir valorando la realidad.
- Opinar y valorar.

- Las empresas de bajo coste.

Determina si es factible o no una empresa de bajo coste.
Pág. 32

- Manejarse en un comercio.
- Argumentar sobre un tipo de comercio.
- Diseñar un regalo.

- Empresas españolas de especial relevancia.

Define los comercios del futuro.
Pág. 42

- Relatar en pasado.
- Dar consejo.
- Participar en un foro sobre la publicidad.

- La publicidad.

Diseña una campaña publicitaria adecuada al público destinatario.
Pág. 52

- Identificar elementos.
- Crear e identificar palabras nuevas.
- Justificar unas opciones.

- Ciudades y entornos.

Describe el entorno ideal.
Pág. 62

- Imaginar y especular sobre el futuro.
- Hablar del clima y del cambio climático.
- Describir una oferta turística.

- El clima y la energía.

Colabora en salvar el planeta.
Pág. 72

Competencias pragmático-funcional

- Argumentar.
- Hacer una crítica cinematográfica.
- Recomendar.

Competencia sociolingüística

- El cine en lengua española.

Discute sobre el futuro de las salas del cine tal y como las conocemos hoy.
Pág. 82

- Comentar expresando reacciones.
- Contar experiencias pasadas.
- Justificar y corregir.

- El deporte profesional en España.

Justifica lo que deben ganar los futbolistas de élite.
Pág. 92

- Reproducir las palabras de otras personas.
- Transmitir órdenes y sugerencias dadas.
- Expresar la involuntariedad.

- Contrastes culturales.

Opina sobre fenómenos de convivencia cultural.
Pág. 102

- Describir alimentos y platos.
- Informar de celebraciones especiales.
- Narrar una experiencia gastronómica.

- La gastronomía hispana.

Describe el alimento que no puede faltar en una festividad en tu país.
Pág. 112

- Proponer ideas.
- Poner condiciones reales, irreales e imposibles.
- Especular con el trabajo idóneo.

- La situación laboral en España.

Debate sobre el papel actual de la educación.
Pág. 122

- Describir tribus urbanas.
- Expresar qué le preocupa a uno.
- Animar a la participación.

- Los movimientos sociales y los jóvenes y la vida política.

Conversa sobre el futuro de los jóvenes.
Pág. 132

Competencias pragmático-funcional

Competencia sociolingüística

1 Conoce a tus compañeros de clase

▸ **Completa esta ficha y preséntate a tus compañeros.**

MIS DATOS PERSONALES

Nombre
Nacionalidad
Lugar de residencia
Edad
Ocupación

MI RELACIÓN CON EL ESPAÑOL

Empecé a estudiar español porque...

Llevo estudiando español...

Estudio español porque...

El español me parece una lengua...

2 ¿Cómo te gusta aprender?

a. ▸ **Ordena las siguientes afirmaciones según tu opinión y experiencia.**

a. ☐ Necesito aprender la gramática para poder hablar.

b. ☐ Me falta mucho vocabulario para poder hablar bien.

c. ☐ Me gusta mucho la literatura y quiero leer libros en español de autores españoles e hispanoamericanos.

d. ☐ Quiero hacer el examen del DELE para mi trabajo o para mi currículum vítae.

e. ☐ Me gusta hacer listas de palabras para aprender el vocabulario.

f. ☐ Quiero hacer muchos ejercicios de gramática para fijar las formas.

g. ☐ Me interesa comunicarme con hispanohablantes.

h. ☐ Prefiero aprender por medio de situaciones reales de comunicación y de ahí aprender la gramática, el vocabulario, las expresiones, etc.

i. ☐ Quiero aprender cultura, pero cosas prácticas, para evitar malentendidos.

j. ☐ Necesito practicar mis habilidades de comprensión, porque muchas veces no entiendo lo que me dicen.

b. ▸ **Con tus compañeros, pon en común las opiniones y elegid los tres aspectos más importantes. Después, presentad vuestras conclusiones.**

3 Recuerda la forma de los verbos

▸ Clasifica estas formas verbales en la tabla. Pon atención al tiempo y a la persona.

trajiste · querrías · haréis · ha escrito · corrijo
habíamos vuelto · vengan · venís · has hecho · vayas
saldrás · pondríamos · han dicho · valdrá · podamos
habían ido · busqué · juega · condujeron · dabas
habías visto · ponga · estuvo · habéis roto · veían
ibais · sabríais · era · dicen · tendré

	Presente	Pretérito perfecto compuesto	Pretérito perfecto simple	Pretérito imperfecto	Pretérito pluscuam-perfecto	Futuro simple	Condicional	Presente de subjuntivo / Imperativo
(yo)								
(tú, vos)								
(él, ella, usted)								
(nosotros/as)								
(vosotros/as)								
(ellos/as, ustedes)								

4 Practica los tiempos verbales

▸ Completa el texto con la forma adecuada del verbo.

Mi experiencia en España

Hola, me (llamar) .... Laura y (ser) .... italiana. (Vivir) .... en una ciudad que (estar) .... cerca de Milán, se llama Sesto San Giovanni. Me (gustar) .... mucho hacer deporte, escuchar música y (estar) .... con mis amigos.
(Empezar) .... a estudiar español en el instituto y me (encantar) .... Es una lengua muy bonita y, sobre todo, es una lengua unida a una cultura interesantísima. (Estar) .... varias veces en España con mi familia de vacaciones (en Barcelona, en Alicante, en Tenerife...), pero el viaje que recuerdo con más cariño es el de Málaga.
Hace dos años mis compañeros y yo (ir) .... a Málaga a hacer un curso de español de tres semanas. La experiencia (ser) .... increíble porque (combinar) .... los estudios con las actividades culturales y las excursiones a ciudades cercanas como Granada, Sevilla o Córdoba. Todas las mañanas (ir) .... a la escuela. Las clases (ser) .... muy interesantes y muy divertidas. Por las tardes (tener) .... actividades y, cuando (poder) .... tener algo de tiempo libre, (ir) .... a la playa. En Málaga (conocer) .... a mucha gente con la que todavía (mantener) .... contacto.
Ahora estudio en la universidad y me (gustar) .... volver a Málaga pronto. Cuando (ahorrar) .... un poco de dinero, quiero (viajar) .... de nuevo y revivir la experiencia. Espero que mis compañeros me (acompañar) .... y, de ese modo, quizá (poder) .... tener otra experiencia igual o mejor.

5 Pon en práctica tu comprensión

▸ Lee estos mensajes que han dejado y señala la respuesta adecuada.

1

Te ha llamado Sergio. Que han pasado la cena del viernes al sábado a la misma hora. Es que Marta tiene que trabajar el sábado por la mañana y prefiere estar más tranquila durante la noche. Que llames a Juan.

Se ha cambiado el día y la hora de la cena.

La cena estaba prevista para el viernes.

La cena va a ser el sábado porque el domingo trabaja Marta.

2

Gabi, te ha llamado Ramón, que sale tarde del trabajo y que hasta las siete menos cuarto no podrá llegar a tu casa. Cuando salga de la oficina, te vuelve a llamar.

Gabi va a llegar tarde a la cita con Ramón y le llama para decírselo.

Ramón va a salir antes de la oficina y llama a Gabi para cambiar la hora de su cita.

Ramón llamará a Gabi otra vez al salir del trabajo e informarle de que va para su casa.

3

Carmen, ha llamado Fina. Que la tía Lola va a venir del pueblo el miércoles, que tiene médico. Que si te apetece comer con ellas. Irán a algún restaurante cerca de tu casa. Que la llames antes del lunes para reservar mesa.

Fina llama a Carmen para que acompañe a la tía Lola al médico el miércoles.

Fina llama a Carmen para invitarla a comer con ella y con la tía que viene del pueblo.

Fina llama a Carmen para que reserve una mesa en el restaurante que está cerca de su casa.

4

Isa: ha llamado Ana. Que van a celebrar el cumpleaños de Marcos el domingo con una barbacoa en la piscina. Que como a Marcos le encanta tu tarta de chocolate, que si podrías preparar una, que van a ser unos doce, que si no puedes, que se lo digas.

Ana llama a Isa para invitarla a un cumpleaños y para pedirle un favor.

Ana llama a Isa para encargarle un regalo para la madre de Marcos.

Ana llama a Isa para pedirle que compre una tarta de chocolate para el cumpleaños.

Opina sobre una guía de estereotipos

Paso 1 Lee y escribe	una entrada con tu opinión sobre los estereotipos.
Paso 2 Escucha y cuenta	un menú adecuado a una cultura.
Paso 3 Comprende e interactúa	acerca de la imagen de un país.
Paso 4 Repasa y conversa	sobre una guía de estereotipos.

Paso 1
Lee y escribe
Tu opinión sobre los estereotipos

1 Lee y reflexiona sobre los estereotipos

> ▸ Lee la definición del *Diccionario de la Real Academia Española*.
> ¿Crees que el estereotipo es una exageración de la realidad? Pon ejemplos.

◀◀ Estereotipo:
Imagen o idea aceptada comúnmente por un grupo o sociedad con carácter inmutable. **▶▶**

> No creo que sea una exageración. Por ejemplo, es verdad que los italianos son muy expresivos.

2 Aprende los adjetivos de los estereotipos

a. ▸ **Lee las intervenciones de este foro. ¿Con qué países relacionas cada estereotipo?**

Reino Unido

Japón

Argentina

España

Suecia

Estados Unidos

Foro cultural

Por: Blas
Egocéntricos, pesados... **Dicen que** todos somos forofos del fútbol y **aseguran que** somos seductores.

Por: Kuki 45
No entiendo que la gente piense que todos somos altos y rubios. Y otra cosa, yo **no veo que** todas las casas sean iguales, funcionales y de diseños muy fríos. **Supongo que** sí somos algo fríos y distantes, solitarios y silenciosos, pero también **estoy convencida de que** somos cariñosos, a nuestra manera.

Por: Manu
Es verdad que aquí todo se hace más tarde, pero **no estoy de acuerdo con que** digan que todos dormimos la siesta a diario ni que seamos vagos. También **defienden que** somos ardientes, espontáneos, chapuceros.

Por: Ana 19
La gente **imagina que** todos somos muy patrióticos, algo superficiales y que tenemos un coche enorme.

Por: Tati
La gente **considera que** somos muy respetuosos de las tradiciones, muy amables, que solo comemos pescado crudo.

Por: Ralf
Flemáticos, protocolarios, aburridos. Así nos ven. **Afirman que** todos los días tomamos el té a las cinco, que somos muy educados, pero **no considero que** nuestra gastronomía sea tan mala como mucha gente dice.

b. ▸ ¿Cuál es el significado de las palabras marcadas en el texto?

fan de algo • formal • afectivo, cordial • se considera el centro del mundo • trabaja poco • amante de su país • directo, claro, abierto • frívolo, poco profundo • poco afectuoso • pasional • poco profesional o torpe • no le gusta contactar con otras personas • callado • impasible • tradicional • molesto, aburrido • práctico

---

3 Fíjate en los verbos de opinión y de actividad mental

a. ▸ Observa los verbos en negrita del foro y completa.

EXPRESAR IDEAS Y PENSAMIENTOS

Con verbos de entendimiento *(comprender, entender...)*, de pensamiento *(considerar, suponer, imaginar...)*, de comunicación *(decir, afirmar, comentar...)* y de percepción *(darse cuenta, ver, comprobar...)* usamos **indicativo**, cuando ....
....,

y **subjuntivo**, cuando ....
....

b. ▸ Completa. Luego, formula la frase contraria.

Creo que...   No creo que...

1. Los españoles confirman que (saber) .... disfrutar de la vida.
2. Los australianos no aceptan que se (decir) .... que están obsesionados con el deporte y la salud.
3. Afirman que los italianos (ser) .... apasionados y que (comer) .... pasta todos los días.
4. París es la ciudad del amor, pero no creo que los franceses (destacar) .... por ser románticos.
5. Señalan que los suizos (llegar) .... puntualmente a todas sus citas. Precisamente no se afirma que esa (ser) .... una característica hispana.
6. Comentan que los cubanos se (caracterizar) .... por su gran sentido del humor.

---

4 Participa en el foro

a. ▸ Subraya la opción adecuada y marca cuál o cuáles de estas opiniones te influyen más a la hora de hacerte la imagen de un país.

1. Me influye la historia *debido a/para* su importancia en la evolución del país y en sus características actuales.
2. *A fin de/Como* conocer un país y su cultura, es esencial conocer la gastronomía.
3. Me importa el arte *debido a/porque* son las expresiones de sus artistas, sus sentimientos, su forma de vida.
4. *Como/Es que* la imagen de un país se reconoce por lo que hacen sus famosos, se debe conocer a las celebridades.
5. *Para que/Debido a que* te hagas una idea de un país, debes conocer sus lugares más turísticos.

EXPRESAR LA CAUSA
como/porque/es que/debido a que + indicativo
por/debido a + sustantivo

EXPRESAR LA FINALIDAD
para/a fin de + infinitivo
para que/a fin de que + subjuntivo

b. ▸ Participa en el **Foro** cultural.
Piensa en los estereotipos sobre tu país y redacta una entrada.

Paso 2
Escucha y cuenta
Un menú, una cultura

1 Comprende un programa y conoce las gastronomías del mundo

a. ▸ **Vas a escuchar un programa de radio. Antes recuerda las palabras; escríbelas debajo de la imagen correspondiente.**

Aguacates • Arroz • Cangrejo • Cordero • Gambas • Jamón • Langosta • Maracuyá • Pan de pita • Salmón

La Lonja — OFERTAS

€2⁶⁰

€2⁶⁵
..................., 2 ud.

..................., 1/2 kilo

€8³⁰

€1⁶⁹

.... congeladas, 1 kilo

.... extra, 1 kilo

€9⁰⁰

€9⁹⁵

.... cocida, unidad

Chuletas de ...., 1 kilo

€16⁹⁰

€5⁷⁹

.... serrano, 1 kilo

..................., bandeja

€1²¹

€3³⁹

..................., paquete 6 ud.

Especias, 8 botes

€5⁹⁰

.... de río vivo, 1 kilo

Mejores PRECIOS

b. ▸ **Escucha el programa de radio y relaciona los productos con los países.**

1. Helados con trocitos de frutas tropicales
2. Zumo o jugo de maracuyá
3. Pan de arroz
4. Hamburguesas hechas de cangrejo o gambas
5. Hamburguesas vegetarianas
6. Hamburguesas de salmón fresco
7. Pan de pita
8. Jamón serrano
9. Acompañamiento de aguacate
10. Hamburguesa de cordero

a. Brasil
b. Chile
c. China
d. España
e. Grecia
f. India
g. Japón
h. Noruega
i. Tailandia
j. Turquía

c. ▶ **Marca las respuestas adecuadas.**

1. La multinacional se caracteriza por...
   a. adaptarse a la diversidad.
   b. ofrecer los mismos platos en todo el mundo.
   c. recoger los platos típicos de la gastronomía del país donde está.

2. La gastronomía nacional...
   a. solo influye en los McDonald's en países con fuertes raíces culturales.
   b. no influye nunca o solo de forma anecdótica en los menús de su cadena de restaurantes.
   c. influye en sus restaurantes del mundo porque adaptan sus ofertas a las costumbres del país.

2 Distingue los verbos saber y conocer

a. ▶ **Mira estos fragmentos de la entrevista y adivina cuándo se usa cada verbo.**

> Ya sabes que en Asia y en América Latina, hay muchas frutas tropicales. **1**

> Todos sabemos que la vaca es un animal sagrado en la religión hindú. **2**

> Si viajas y conoces muchos lugares, es curioso descubrir cómo influye la cocina nacional en una empresa multinacional. **3**

> Si alguien conoce algún producto diferente, que nos escriba y nos lo cuente. **4**

Gramática

SABER Y CONOCER

Saber y *conocer* hacen referencia a un conocimiento.
- Uno indica que hemos tenido una relación con una persona o una cosa.
- El otro es tener una información o una habilidad que hemos aprendido (*hablar español, conducir, preparar un plato, etc.*).

b. ▶ **Di la opción adecuada.**

1. ¿*Conoces/Sabes* a algún español rubio con los ojos azules?
2. *Conocí/Supe* que era alemán porque siempre comía salchichas.
3. No *sabía/conocía* que en ese país la gente no comía cerdo.
4. Mi madre *sabe/conoce* un restaurante peruano buenísimo.
5. Mi hermana y su novio no *sabían/conocían* quién es Ferrán Adrià.
6. Pues yo tampoco *conocía/sabía* Huelva, pero cuando *conocí/supe* que su jamón es el mejor, me fui allí.

3 Justifica tu elección

¿Qué ingredientes llevaría cada uno de estos platos de un restaurante si quieres dar una imagen internacional? Explica los motivos.

- Hamburguesa mexicana
- Sopa japonesa
- Tarta americana
- Ensalada brasileña
- Carne al estilo francés
- Pescado a la peruana
- *Pizza* noruega
- Pollo a la italiana
- Tacos *kosher*

Paso 3 — La imagen de un país
Comprende e interactúa

1 **Comprende unas noticias del periódico y de la radio**

Lee estos titulares, escucha las noticias de radio y relaciónalos.

1 Una buena tapa, la opción elegida por los españoles para dar a conocer su cultura. ①

2 Un político italiano quiere declarar la *pizza* bien cultural de la Unesco.

3 La zona norte de España es donde mejor se come. ②

4 «Nuestras frutas son las mejores». Chile defiende la gran relación calidad/precio.

5 El presidente de la cadena de restaurantes en Portugal presenta la nueva McBacalao. ③

2 **Aprende los usos de los artículos**

a. ▶ Completa el esquema con ejemplos de los titulares.

	Artículos determinados	Artículos indeterminados
Se usan	1. Para hablar de algo que ya se ha mencionado. Ejemplo: .... 2. Para referirnos a una parte de un país o región. Ejemplo: .... 3. En formas de tratamiento (*director, señor, señora...*). Ejemplo: .... Excepto cuando hablamos directamente a la persona. Ejemplo: *Aquí tiene su café, señor López.* 4. Para convertir un adjetivo en sustantivo. Ejemplo: *El alto es mi compañero de piso. Es sueco.*	1. Para mencionar algo por primera vez, o para referirnos a un ejemplar de una categoría. Ejemplo: .... 2. Para hablar de cantidad o cuando va con un calificativo (*una mala película, un gran profesional*). Ejemplo: ....
No se usan	1. Para referirnos a nombres de personas o de lugares, excepto cuando el artículo es parte del nombre. Ejemplo: .... 2. Con la profesión, la religión, la nacionalidad o la ideología. Ejemplo: *Arzak es cocinero y dará una conferencia en la ciudad.* 3. Con nombres no contables. Ejemplo: *Los ingleses beben té, pero los americanos prefieren beber café.* 4. Con otro determinante: demostrativos, posesivos, indefinidos... (excepto *todo/a*). Ejemplo:	

b. ▶ **Completa estas otras noticias con el artículo cuando sea necesario.**

1 .... ministro anuncia que España es .... segundo país a nivel mundial en kilómetros de alta velocidad.

2 .... presidente de Estados Unidos ha visitado .... nuestro país para conocer .... sistema de trenes, que quiere usar de modelo para .... su país.

3 La mayoría de .... españoles se declaran .... católicos no practicantes.

4 .... estudio señala .... dieta mediterránea como responsable de .... alta longevidad en los países del sur. .... estudio se ha realizado en .... prestigiosa universidad británica.

5 España se convirtió en .... curso 2009/2010 en .... país que más estudiantes Erasmus envió a .... Unión Europea.

3 Interactúa y argumenta sobre la imagen de un país

a. ▶ **Anota los aspectos positivos y negativos de tener una imagen estereotipada para un país.**

Ventajas	Inconvenientes

b. ▶ **Lee estas dos opiniones. ¿Con cuál de las dos estás más de acuerdo?**

EN CONTRA

«Es necesario que la gente conozca la realidad, no una imagen falsa y exagerada».

El tópico es una imagen falsa, parcial y, muchas veces, distorsionada. Es algo que va totalmente en contra de la cultura de un país y que, además, es prácticamente imposible de eliminar, puesto que pasa de generación en generación. El país cambia, pero el tópico permanece.

¿Por qué España no vende su tecnología y sus estudios científicos y médicos? ¿Por qué no promocionamos la arquitectura contemporánea de Santiago Calatrava y la nueva cocina española, tan innovadora e influyente en todo el mundo? Creo que ya es momento de dejar de lado las playas, las tapas, el flamenco y los toros.

A FAVOR

«Debemos mantener y alimentar los tópicos nacionales, son fundamentales».

El tópico ayuda a crear la imagen de un país y eso es siempre positivo, porque tener una imagen nítida hace que el resto del mundo se fije y tenga interés en conocer con más profundidad el país en cuestión. Es cierto que algunos aspectos de los tópicos no son del todo ciertos, son exagerados e, incluso, pueden llegar a ser negativos, pero lo importante es la publicidad sin coste que genera.

Podemos decir que el tópico funciona como un cebo para atraer a un gran número de turistas y de posibilidades de negocio. Luego, cada persona sacará sus propias conclusiones y decidirá qué hay de verdad en cada uno.

Paso 4

Repasa y conversa

Guía de estereotipos

1 Repasa los verbos de actividad mental

a. ▷ Completa.

1. Supongo que la gente (pensar) .... que en España siempre hace sol.
2. No entiendo que la gente (creer) .... que en Australia solo (haber) .... canguros.
3. No considero que todos los tópicos sobre EE. UU., como el de que todos tienen un arma, no (ser) .... verdad.
4. Imagino que algunos tópicos sobre China (ser) .... ciertos, como el de que comen mucho arroz.
5. El presidente de Francia afirmó que los tópicos les (beneficiar) .... económicamente.
6. Como alemán, me doy cuenta de que el tópico de que todos (ser) .... ordenados está muy extendido.
7. En nuestro país, no aceptamos que la gente (tener) .... la imagen de que somos maleducados.

b. ▷ Subraya la forma adecuada.

1. No pienso que todos los japoneses *hacen/hagan* fotos todo el tiempo cuando viajan.
2. Me imagino que no todos los suizos *son/sean* puntuales.
3. Veo que muchos extranjeros *piensan/piensen* que todos los españoles bailamos flamenco.
4. No aceptamos que *decís/digáis* que todos los mexicanos están todo el día durmiendo.
5. Acepto que el tópico de que los italianos *gesticulan/gesticulen* mucho con las manos es cierto.
6. No me imagino que todos los sudamericanos *saben/sepan* bailar salsa.
7. No entiendo que la gente *cree/crea* que en Inglaterra se come mal.
8. Supongo que no todos los suecos *tienen/tengan* un Volvo.

2 Repasa los alimentos

▷ **Escucha y di de qué alimento habla. Después, completa con dichos alimentos.**

| especias | kiwi | salmón | cordero |

1. El curry, la pimienta y el clavo son mis .... favoritas.
2. El .... es una fruta originaria del Himalaya, que los neozelandeses llamaron como su pájaro.
3. Se dice que el .... noruego es uno de los mejores.
4. El kebab suele ser de ....

3 Repasa la diferencia entre saber y conocer

a. ▷ Completa.

1. Elena, ¿....................... dónde está mi billetera? Es que no .... dónde está.
2. Sergio, tenemos que enviar las invitaciones ya, pero no .... las direcciones de todos.
3. Podemos ir a Madrid en vacaciones. Yo .... muy bien la ciudad porque viví allí dos años.
4. Mi profesor .... explicar muy bien. ¿Lo ....?
5. ¿Vamos a ese restaurante, Álex? Lo .... , he ido varias veces y me gusta. ¿....................... cuál es?
6. .... un libro buenísimo de recetas. El autor, además, ... mucho de cocina asiática.

b. ▸ **Completa y aprende el origen del nombre de algunos países de América.**

sabes	conocían	sabías	conocí	saber

1. Los españoles .... Venecia y, cuando llegaron a una zona donde había canales, la llamaron *Venezuela*, es decir, la *pequeña Venecia*.

2. ¿...................... que *Argentina* viene de *argentum* que, en latín, significa 'plata'? Le dieron ese nombre porque era el camino para llegar a las minas de plata.

3. Seguramente .... quiénes son Simón Bolívar y Cristóbal Colón, ¿verdad? Pues *Bolivia* recibe su nombre de *Bolívar* y *Colombia*, de *Colón*.

4. .... a un profesor que me contó que *México* viene del nombre que los aztecas se daban a ellos mismos: *mexicas*.

5. Hay que .... lenguas indígenas para descubrir el nombre de países como Uruguay, Chile o Guatemala.

4 Repasa los artículos

a. ▸ **Subraya la opción adecuada.**

1. Normalmente no como *la/una/ø* fruta después de cenar porque *la/una/ø* fruta me sienta muy mal por la noche.

2. *El/Un/ø* Tesoro del Carambolo se expone en *el/un/ø* Museo Arqueológico de Sevilla.

3. *La/Una/ø* Zara es *la/una/ø* empresa española de ropa más conocida.

4. *La/Una/ø* España está formada por *las/ø* diecisiete comunidades autónomas y dos ciudades autónomas, Ceuta y Melilla, que están en *el/un/ø* norte de África.

5. - *La/Una/ø* señora García ha llegado hace unos minutos y le está esperando, *el/un/ø* señor González.

   - Muchas gracias, Isabel. Dígale que pase.

b. ▸ **Completa con los artículos cuando sea necesario.**

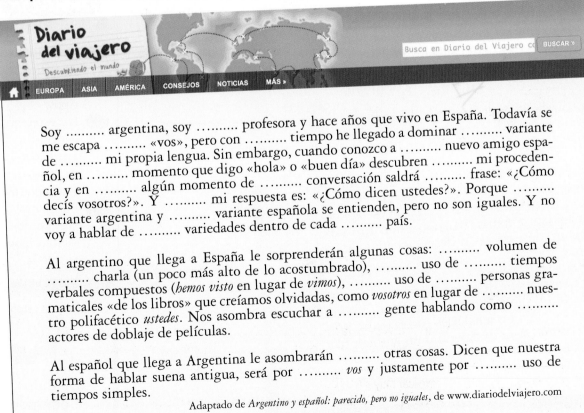

Soy .... argentina, soy .... profesora y hace años que vivo en España. Todavía se me escapa .... «vos», pero con .... tiempo he llegado a dominar .... variante de .... mi propia lengua. Sin embargo, cuando conozco a .... nuevo amigo español, en .... momento que digo «hola» o «buen día» descubren .... mi procedencia y en .... algún momento de .... conversación saldrá .... frase: «¿Cómo decís vosotros?». Y .... mi respuesta es: «¿Cómo dicen ustedes?». Porque .... variante argentina y .... variante española se entienden, pero no son iguales. Y no voy a hablar de .... variedades dentro de cada .... país.

Al argentino que llega a España le sorprenderán algunas cosas: .... volumen de .... charla (un poco más alto de lo acostumbrado), ... uso de .... tiempos verbales compuestos (*hemos visto* en lugar de *vimos*), ... uso de .... personas gramaticales «de los libros» que creíamos olvidadas, como *vosotros* en lugar de .... nuestro polifacético *ustedes*. Nos asombra escuchar a .... gente hablando como .... actores de doblaje de películas.

Al español que llega a Argentina le asombrarán .... otras cosas. Dicen que nuestra forma de hablar suena antigua, será por .... *vos* y justamente por .... uso de tiempos simples.

Adaptado de Argentino y español: parecido, pero no iguales, *de www.diariodelviajero.com*

5 ¿Qué te parece que una institución oficial elabore una guía de estereotipos como esta de la que habla la noticia?

Vas a expresar tu opinión. Antes, prepárate. Para ello: lee el texto, indica la idea principal de cada párrafo e infórmate; luego, fíjate en las ideas a favor o en contra y marca con cuáles coincides; después, piensa tus argumentos.

La Oficina de Turismo del Reino Unido creó una guía de buen comportamiento durante los Juegos Olímpicos. El objetivo era tratar bien a los visitantes, ¿qué se puede hacer y qué no se puede hacer con unas y otras nacionalidades?

Los españoles son de carácter fuerte, muy expresivos, habladores, directos y francos. «Tienden a hablar muy rápido y muy alto y el tono suena imperativo, aunque eso no significa que intenten mostrar superioridad o enfado», advertía el manual.

A los franceses no les cuesta nada criticar, pero hay que ser pacientes con ellos. También en la mesa: nunca hay que retirar el pan hasta el final y, si piden agua, no les traigas un vaso, sino una jarra. Ah, ¡y sin hielo ni limón!

A un árabe le molesta que le digan lo que tiene que hacer y le encanta que le demuestren un cierto conocimiento de su cultura.

¿Quién no ha visto sonreír a un turista japonés? Pero eso no significa necesariamente que el buen hombre esté feliz. «Los japoneses tienden a sonreír cuando están furiosos, avergonzados, tristes o decepcionados», dice la guía.

Si el turista viene de Hong Kong, es mejor no guiñarle un ojo porque se considera grosero. Tampoco hay que señalarles con el dedo, porque es como si te dirigieras a un animal: hay que hacerlo con la mano abierta.

Adaptado de *El País*, 15 de agosto de 2010

A FAVOR

- Ayuda mucho a que el turista se sienta más cómodo.
- Con estos consejos se pueden evitar muchos malentendidos.
- Facilita que la gente conozca nuevas culturas y que el choque cultural sea menos fuerte.

EN CONTRA

- Una institución pública dedicada al turismo no debería fijar estereotipos.
- Los estereotipos son generalizaciones, y puede que las recomendaciones de la guía no funcionen siempre.
- Puede provocar enfados, porque algunos estereotipos pueden ser ofensivos.

Discute con tus compañeros tu opinión.

Valora las empresas de bajo coste

Paso 1 Comprende e interactúa	contando una experiencia durante un viaje.
Paso 2 Lee y escribe	tu opinión sobre los vuelos de bajo coste.
Paso 3 Escucha y cuenta	cuál es tu tipo de viaje preferido.
Paso 4 Repasa y conversa	sobre los negocios de bajo coste.

1 **Comprende distintas opiniones y amplía el vocabulario de los viaj...**

a. ▸ **Lee estas opiniones y marca con quién te identificas más. Explica por qué.**

> Yo nunca voy a una agencia de viajes. Es que soy muy independiente y, si hay un día laboral entre dos festivos y hacemos puente, es decir, tenemos un fin de semana largo, y quiero hacer turismo, entro en Internet, miro en un callejero, busco una pensión céntrica y me voy.

> Viajo casi todas las semanas y soy una especialista en buscar en Internet vuelos de oferta, que están baratos, en facturar las maletas... Por eso, es raro que pierda el equipaje o que tenga exceso de peso.

> minube
>
> ○ Buscar ✈ Vuelos 🛏 Hoteles   Únete a minube
>
> Como viajo por turismo, y no por negocios, yo participo en una red social para estar bien informado: los usuarios recomiendan qué visitar, dónde comer, qué lugares son desconocidos, pero hay que ver, etc. Es una gran guía de viajes que está actualizada permanentemente. Es más fiable y estoy seguro de que es verdad lo que me dicen.
>
> ver más

> Nosotros vamos a una agencia de viajes. Son profesionales y expertos. Los precios están bien porque solemos contratar viajes organizados con todo incluido, o hacemos un crucero por la costa. Si queremos anular un billete, por ejemplo, no suele haber problemas.

b. ▸ **Fíjate en las palabras marcadas del ejercicio anterior. ¿Cuál es su significado?**

1. Cancelar un vuelo.
2. Cuando hay un día entre un fin de semana y un día festivo y no se trabaja.
3. Ir a un lugar por asuntos de trabajo.
4. Pagar por una oferta turística que incluye transporte, alojamiento, excursiones y guía.
5. Plano de las calles de una ciudad o buscador de direcciones dentro de una ciudad en Internet.
6. Viajar para conocer un lugar.
7. Las cosas con las que viajamos.
8. Viaje en un barco de lujo y turístico.
9. Precio más barato de lo habitual.
10. Dar el equipaje a la compañía para que lo lleven en la bodega del avión.

2 ## Recuerda y practica la diferencia entre **ser** y **estar**

a. ▸ Subraya en los textos los verbos ser y estar y sus complementos, completa la explicación con las palabras de los cuadros y anota ejemplos de los textos.

permanentes

propias

own ↓

resultado

estados

temporales

localiza

ha cambiado

intención

SER Y ESTAR

El verbo *ser* identifica, es decir, hace referencia a características .... de las personas, las cosas, los lugares y las acciones. ATENCIÓN: No significa que las características sean .... (podrían cambiar) sino que es una cualidad que las identifica.
Buenos Aires es enorme.   *Marta es guapísima.*

El verbo *estar*, por una parte, ... cosas, personas y lugares en el espacio y, por otra, hace referencia a .... de las cosas, las personas y los lugares. Con frecuencia, son características que son el .... de un cambio de estado. ATENCIÓN: No significa que las características sean .... y duren solo un tiempo (puede ser que la característica desde este momento sea ya para siempre), sino que es consecuencia de un cambio.
No funciona el ordenador. Está roto.   *Esta página web siempre está actualizada.*

Hay muchos adjetivos que pueden ir con *ser* y con *estar* y la elección del verbo depende del significado del adjetivo y de la .... de quien habla.
Buenos Aires es enorme. Casi tiene tres millones de habitantes.
Hace 40 años que no vengo a Buenos Aires y está enorme. ¡Cómo ....!

b. ▸ Pon mucha atención a lo que quiere decir el hablante y completa con **ser** o **estar**.

1. En Navidad los precios .... muy altos. .... mejor volar con una compañía de bajo coste donde los precios siempre .... más baratos.

2. Ayer conocí al novio de Sandra. .... muy alto y muy simpático. .... compañeros de trabajo en la agencia de viajes. Ella .... feliz.

3. - ¿Conoces la película *El laberinto del Fauno*? .... muy interesante, te la recomiendo.
   - Pues voy a verla. Y tú, ¿ves la serie *Hispania*? Ahora .... muy interesante, ¿verdad? ¿Qué crees que pasará?

4. Esta página web no .... fiable porque no .... actualizada.
   Te voy a enseñar otra que .... muy segura porque los autores .... profesionales.

5. Cuando yo compré los billetes, ... baratos porque había una oferta y pagué 60 euros ida y vuelta, pero esta compañía .... bastante cara.

3 ## Interactúa y cuenta una experiencia

▸ Elige un tipo de alojamiento o viaje y cuenta una buena o mala experiencia que hayas tenido en alguno.

| Hotel de 4 estrellas • Hostal • Viaje en un crucero • Viaje organizado |

Yo prefiero los hoteles de 4 estrellas, porque normalmente están en el centro de las ciudades o están bien comunicados con el centro y los lugares turísticos. Las instalaciones son buenas y están limpias. Las comidas también son buenas, pero a mí no me gusta comer en los hoteles, prefiero en lugares típicos. Según mi experiencia, los hoteles en España tienen mejores instalaciones y servicios que en el resto de Europa.

1 Lee, aprende vocabulario y recuerda cómo valorar

a. ▶ Observa, lee el texto y subraya la opción adecuada. Luego, responde.

> **RECUERDA LA FORMA DE VALORAR**
>
> **Es** + adjetivo de valoración + infinitivo (valoración general).
> *Es genial poder viajar a un precio tan bajo.* (general statment)
>
> **Es** + adjetivo de valoración + *que* + subjuntivo.
> (valoración sobre un sujeto particular). (specific)
> *Es genial que nosotros podamos viajar a un precio tan bajo.*

Gramática

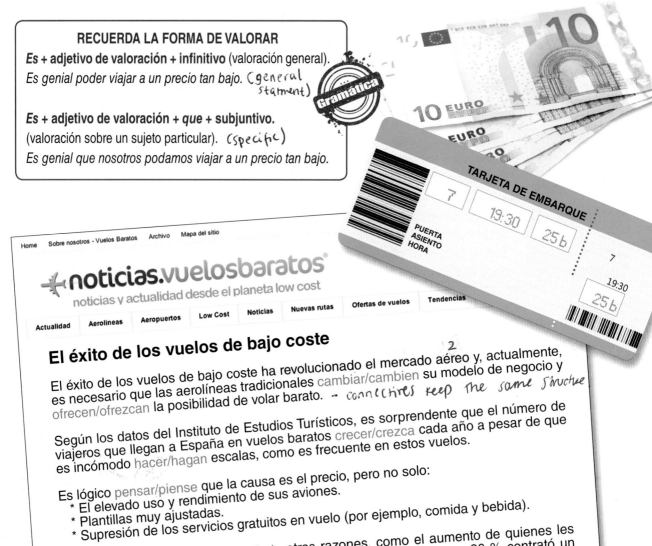

Home   Sobre nosotros - Vuelos Baratos   Archivo   Mapa del sitio

✈ noticias.vuelosbaratos®
noticias y actualidad desde el planeta low cost

Actualidad   Aerolíneas   Aeropuertos   Low Cost   Noticias   Nuevas rutas   Ofertas de vuelos   Tendencias

El éxito de los vuelos de bajo coste

El éxito de los vuelos de bajo coste ha revolucionado el mercado aéreo y, actualmente, es necesario que las aerolíneas tradicionales cambiar/cambien su modelo de negocio y ofrecen/ofrezcan la posibilidad de volar barato. — *connectives keep the same structure*

Según los datos del Instituto de Estudios Turísticos, es sorprendente que el número de viajeros que llegan a España en vuelos baratos crecer/crezca cada año a pesar de que es incómodo hacer/hagan escalas, como es frecuente en estos vuelos.

Es lógico pensar/piense que la causa es el precio, pero no solo:
  * El elevado uso y rendimiento de sus aviones.
  * Plantillas muy ajustadas.
  * Supresión de los servicios gratuitos en vuelo (por ejemplo, comida y bebida).

Además, es importante añadir/añada otras razones, como el aumento de quienes les gusta viajar a su aire (es interesante conocer/conozca que solo un 26 % contrató un paquete turístico) y los destinos pequeños que no ofrecen las compañías aéreas tradicionales.

Por otro lado, es positivo que estas compañías permitir/permitan viajar en avión a estudiantes y personas con bajos ingresos. Todo esto por no hablar de la repercusión social que ha tenido el concepto *low cost*: ahora tenemos hoteles *low cost*, restaurantes *low cost*, tiendas *low cost*...

Adaptado de *noticias.vuelosbaratos.es*, noticia del 10 de octubre de 2011

	V	F
1. Las compañías tradicionales siguen funcionando como siempre.		✗
2. Actualmente hay más gente que viaja a España en aerolíneas de bajo coste.	✔	
3. El éxito de las aerolíneas de bajo coste solo se debe a su bajo precio.		✗
4. En las compañías de bajo coste, hay que pagar por la comida.	✔	
5. En esas compañías, trabaja menos gente que en una compañía tradicional.	✔	

b. ▶ **¿Qué expresión de las marcadas en el texto corresponde con cada explicación?**

La idea del bajo coste ha influido en muchos otros negocios. **1**

Ha provocado cambios radicales en el sector. **2**

Hacer viajes de modo independiente, sin acudir a una agencia de viajes. **3**

c. ▶ **Completa con una de estas palabras.**

vuelo con escalas • aerolínea tradicional • porcentaje • de bajo coste • vuelo directo

1. Prefiero volar con una ..*aerolínea trad*.... porque me dan más garantías. Las compañías ...*de bajo coste*...
no me gustan porque no me dan seguridad, siempre hay mucha polémica con sus decisiones sobre el combustible.
2. ¿Y vas a ir en un ...*vuelo directo*....? Yo prefiero un ..*vuelo con escalas*..es más caro, pero se tarda menos.
3. He leído que el ......*porcentaje*.... de viajeros que usa compañías de bajo coste aumenta cada año.

2 # Aprende a expresar tu opinión con seguridad

▶ **Lee la explicación y completa las opiniones de estas personas. ¿Con cuál estás más de acuerdo?**

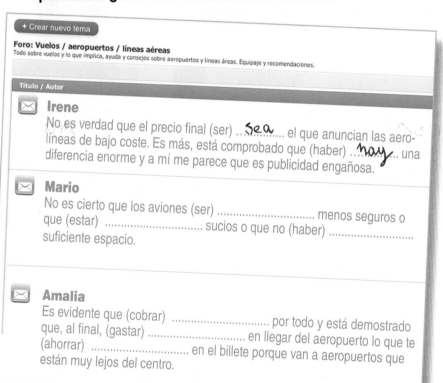

+ Crear nuevo tema

Foro: Vuelos / aeropuertos / líneas aéreas
Todo sobre vuelos y lo que implica, ayuda y consejos sobre aeropuertos y líneas áreas. Equipaje y recomendaciones.

Título / Autor

✉ **Irene**
No es verdad que el precio final (ser) ...*sea*.... el que anuncian las aerolíneas de bajo coste. Es más, está comprobado que (haber) ..*hay*...una
diferencia enorme y a mí me parece que es publicidad engañosa.

✉ **Mario**
No es cierto que los aviones (ser) .... menos seguros o
que (estar) .... sucios o que no (haber) ....
suficiente espacio.

✉ **Amalia**
Es evidente que (cobrar) .... por todo y está demostrado
que, al final, (gastar) .... en llegar del aeropuerto lo que te
(ahorrar) .... en el billete porque van a aeropuertos que
están muy lejos del centro.

Gramática

EXPRESAR CERTEZA
cierto
evidente
Es + *verdad + que + opinión*
seguro
indudable

visto
claro
Está + demostrado + que + opinión
comprobado

Cuando la expresión de certeza es afirmativa, la opinión va en **indicativo**; cuando es negativa, en **subjuntivo**.

3 # Opina y valora sobre viajar barato

Escribe tu opinión sobre la idea de volar barato, opinando y valorando los siguientes aspectos.

• Los trabajadores tienen que trabajar muy rápido y bajo mucho estrés para ser más productivos.
• Los precios que publicitan son falsos porque hay que sumarles impuestos, tasas, etc.
• Las familias con varios hijos tienen más fácil viajar de este modo.
• El estado de los aviones no se controla tanto o tan bien como en otras aerolíneas.
• Algunas compañías ahorran poniendo menos combustible del exigido legalmente por seguridad.

Paso 3
Escucha y cuenta
Tu tipo de viaje

1 Escucha y conoce tipos de alojamiento

a. ▸ **Escucha y escribe el nombre de cada persona que habla de su forma de alojamiento.**

> Tú me dejas tu casa y yo te dejo la mía.

> Solo tienes que dejarme un rincón donde poder dormir: un sofá sirve.

> Pagas lo que quieras o puedas.

> Lo importante es el confort y la independencia.

Raúl   Iker   Salomé   Sara

b. ▸ **Relaciona estas palabras y expresiones que has escuchado con sus sinónimos.**

1. alojarse
2. ahorrar
3. darse de alta
4. dormir al aire libre
5. albergue
6. dejar la voluntad

a. dormir en un espacio abierto
b. hostal muy barato para gente joven o personas sin recursos económicos
c. no gastar dinero
d. registrarse, apuntarse, inscribirse
e. pagar lo que quieras o puedas
f. vivir temporalmente en algún lugar (casa, hotel, hostal...)

c. ▸ **Escucha de nuevo, responde y da tu opinión.**

1. Comprende. ¿Por qué prefiere Sara los hoteles?
2. Opina. ¿Y a ti, te gustan?

3. Comprende. ¿Cuánto le costó a Raúl alojarse mediante el sistema de intercambio de casa?
4. Opina. ¿Qué te parece esta forma de alojarse, dejando tu casa a cambio de otra? ¿Qué ventajas e inconveniente ves?

5. Comprende. ¿Por qué se alojó Salomé en albergues? ¿Qué tipo de viaje estaba haciendo?
6. Opina. ¿Qué cantidad crees que es adecuada dejar cuando te piden que dejes la voluntad?

7. Comprende. ¿El *couchsurfing* es una empresa? ¿Cómo se organiza el uso de este sistema?
8. Opina. ¿Has hecho o harías *couchsurfing*? ¿Crees que es seguro? ¿Lo harías solo?

2 | Comprende y haz sugerencias para ser un buen huésped

▶ **Fíjate cómo hacer sugerencias, completa y relaciona los títulos con los consejos.**

SUGERIR CON EXPRESIONES DE VALORACIÓN *Gramática*

Lo ideal es...
Lo adecuado es...
Lo suyo es...
Parece sensato...
Es de sentido común...

Si sugerimos y valoramos algo de forma general, usamos infinitivo.
Lo ideal es llevar un regalo cuando te vas a alojar en casa de alguien.

Si aconsejamos y valoramos de forma específica (a alguien en concreto), usamos subjuntivo.
Fernando, lo ideal es que lleves algo de comer a la fiesta de Andrés.

a. Un obsequio de entrada
b. Sé educado
c. Echa una mano
d. Una invitación de cortesía
e. Respeta las reglas
f. Pregunta, es gratis
g. No soy un extraño
h. De bien nacido es ser agradecido

@ CONTACTO   SUSCRÍBETE   ME GUSTA

todoparaviajar.com

INICIO | NOTICIAS ▾ | CURIOSIDADES ▾ | UTILIDADES ▾ | LO QUE HAY QUE SABER ▾ | TIPS ▾ | RELATOS DE VIAJE | HOTELES | OFERTAS DE VIAJE

febrero 2013    Buscar   Seleccionar idioma ▼

1. Lo adecuado es (adaptarse) .... a las normas de la casa y (no intentar) .... mantener tu ritmo de vida. Recuerda que vienes a quedarte con alguien que tiene su propia rutina y horarios.

2. Lo ideal es que (llevar) .... un regalo. No tiene por qué ser algo caro, un detalle de tu país será suficiente.

3. Parece sensato que (ayudar) .... en las tareas del hogar. Si bien eres un huésped, se espera cierta reciprocidad.

4. Lo suyo es (interesarse) .... por la vida de tu huésped, pero sin ser irrespetuoso. Pregunta sin ser grosero y sin investigar la vida privada de quien te recibe.

5. Es de sentido común (ser) .... agradecido. Alguien abre las puertas de su casa para recibirte. Agradece la posibilidad con educación.

6. Lo lógico es que el huésped (invitar) .... a comer o a cenar a los anfitriones algún día, como señal de agradecimiento.

7. Es conveniente que las personas que te acogen no (sentir) .... que tú eres un intruso, para ello, sé flexible, no intentes imponer tus intereses.

8. Lo ideal es (preguntar) .... antes de tomar ninguna decisión.

3 | Elige tu tipo de viaje

a. ▶ **Relaciona cada tipo de viaje con una forma de alojamiento.**

1. Una luna de miel en Cancún
2. Vacaciones de verano en Tenerife con la familia
3. Recorrer Centroamérica como mochilero
4. Una semana en Barcelona con tu pareja

a. Alojarse en albergues
b. Hacer *couchsurfing*
c. Reservar en un hotel de 5 estrellas
d. Alquilar un apartamento

b. ▶ **Elige una situación y piensa en las ventajas e inconvenientes del alojamiento que hayas elegido. Convence a tu compañero.**

1 Repasa los verbos ser y estar

a. ▶ Elige la opción adecuada.

- ¿*Eres/Estás* informado de que más del 50 % de los turistas viaja en aerolíneas de bajo coste? ¿Qué te parece?
- *Es/Esta* normal. *Son/Están* muchísimo más baratas que las tradicionales.

- ¿Dónde *es/está* la ventaja de una aerolínea tradicional frente a una de bajo coste? No lo veo.
- Para mí, una gran ventaja *es/está* que *son/están* más fiables que las de bajo coste, por ejemplo, si hay una cancelación, te devuelven tu dinero. Otra ventaja *es/está* que los viajes *son/están* más cómodos.

- ¿Por qué prefieres las aerolíneas de bajo coste?
- Pues porque *son/están* más baratas. Además *es/está* más fácil reservar un vuelo.

En las compañías de bajo coste los aeropuertos *son/están* lejos de las ciudades y, aunque el precio original *es/está* bajo, luego hay que pagar por las maletas... ¡por todo! *Es/Está* importante calcular bien el precio final.

b. ▶ Completa.

1. Sí, yo ya sé que el café .... amargo, pero yo digo que este café .... muy amargo. ¿Seguro que le has puesto azúcar?
2. La verdad es que desde que se fue a México a trabajar .... muy feliz. Ahora trabaja en lo que le gusta y vive en una ciudad que le encanta.
3. Mi profesor .... el señor que .... sentado en aquella mesa.
4. No funciona mi ordenador, ... roto y no lo puedo arreglar. Me han dicho que .... muerto, que .... mejor que me compre otro.
5. Mañana vamos a visitar al doctor Gómez, que .... especialista y ya .... informado del caso.
6. Marina mañana tiene un examen y .... histérica. ¡Pobrecita! .... normal, pero yo ya .... harto de escucharla gritar.
7. El texto que tenemos que leer .... muy difícil, no entiendo nada.

2 Repasa el vocabulario de los viajes en avión

a. ▶ Completa con las palabras y expresiones del cuadro y relaciona.

vuelo	escalas	aerolíneas	directo	bajo coste

1. Hemos conseguido un vuelo ....
2. Es habitual que las compañías aéreas de ....
3. El viaje está muy bien de precio, pero...
4. Corre, corre... acaban de informar
5. Las .... tradicionales suelen tener

a. de que nuestro .... ha cambiado de puerta de embarque.
b. tardamos casi doce horas porque hacemos dos ...., en Miami y en Panamá.
c. una oficina de atención al cliente en el aeropuerto.
d. Barcelona-Bilbao por 65 euros.
e. operen desde aeropuertos pequeños.

5 b. ▶ **Escucha los siguientes avisos en el aeropuerto y marca la categoría a la que se refiere.**

	Retraso en la salida	Información general	Falta un pasajero	Seguridad
Aviso 1				
Aviso 2				
Aviso 3				
Aviso 4				

3 Repasa las expresiones de certeza y valoración

a. ▶ **Completa.**

1. Es indudable que la mayoría de los jóvenes (preferir)........................... las aerolíneas de bajo coste a las tradicionales.
2. No es cierto que hacer *couchsurfing* (ser)........................... arriesgado.
3. Está demostrado que viajar en avión (ser) .... más seguro que hacerlo en coche.
4. Esta visto que planear un viaje sin ayuda de una agencia de viajes (ser) .... cada día más común.
5. No estamos seguros de que nos (devolver)........................... el dinero si el vuelo se cancela.

b. ▶ **Marca si los siguientes enunciados, que expresan sugerencia, tienen carácter general (G) o específico (E).**

☐ Para que mañana no pierdas el vuelo, lo suyo es que llegues con tiempo al aeropuerto.
☐ Parece sensato verificar la identidad de nuestro invitado antes de permitirle la entrada a nuestra vivienda.
☐ Es de sentido común llevar algún detalle a nuestro anfitrión.
☐ Lo ideal es que metas en tu equipaje una manta o un saco de dormir, por si tienes que dormir al aire libre.
☐ Lo adecuado es planificar las vacaciones con antelación.

4 Además de las compañías de bajo coste, hay otros negocios que siguen esa filosofía. ¿Qué opinas de ellos?

a. ▶ Antes, prepárate para el debate. Valora los diferentes aspectos de un negocio *low cost*.

Supermercado low cost

Restaurante low cost

Hotel low cost

Tienda de muebles low cost

Otro negocio low cost: ....

b. ▶ Organizad la clase en dos grupos. Uno defenderá los negocios de bajo coste y otro estará en contra.

c. ▶ Cada grupo debe pensar argumentos a favor y en contra de su posición. Para ello, analizad estos aspectos de cada negocio.

-50%

El precio

Cambios y cancelaciones

Los servicios a los clientes

La responsabilidad de los clientes

Los trámites por Internet

Las condiciones de los trabajadores

d. ▶ Plantead un debate e intentad llegar a un acuerdo sobre si es positivo o no este tipo de negocio. Podéis usar todas las expresiones vistas en el módulo y estas otras en el debate.

PEDIR OPINIÓN Y VALORACIÓN
- ¿Qué te parece que...?
- ¿Te parece bien/mal que...?
- ¿Te parece (una) buena/mala idea que...?
- En tu opinión, *pregunta*
- Desde tu punto de vista + *pregunta*

OPINAR, VALORAR, ARGUMENTAR
- Como yo lo veo...
- Desde mi punto de vista...
- Pues a mí me parece bien/mal, porque...
- Pues yo no lo veo bien/mal, porque...
- Yo lo veo/Yo lo encuentro...

Discute con tus compañeros vuestra opinión.

Imagina los comercios del futuro

Paso 1
Comprende e interactúa — en un comercio tradicional o por Internet.

Paso 2
Lee y escribe — un texto argumentando sobre las distintas formas de comprar.

Paso 3
Escucha y cuenta — un regalo muy especial.

Paso 4
Repasa y conversa — sobre cómo crees que será el futuro de las compras.

1 Responde y aprende el vocabulario de las compras

a. ▸ Completa este cuestionario para saber si eres un comprador del siglo XXI.

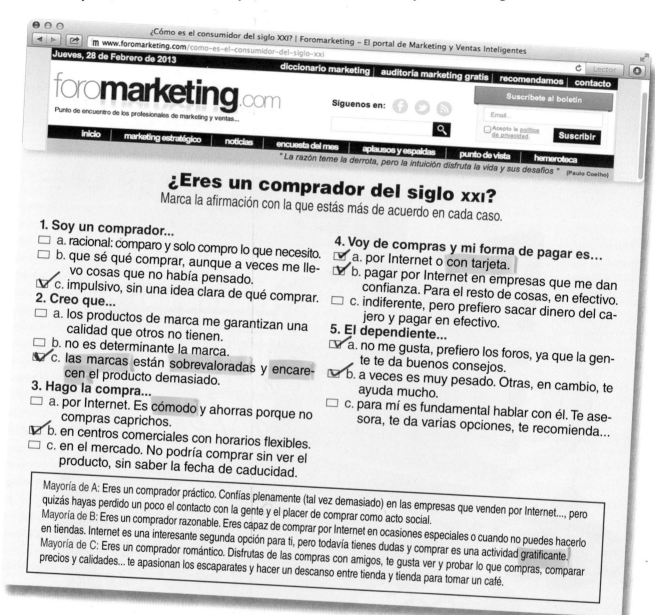

¿Cómo es el consumidor del siglo XXI? | Foromarketing – El portal de Marketing y Ventas Inteligentes

www.foromarketing.com/como-es-el-consumidor-del-siglo-xxi

Jueves, 28 de Febrero de 2013

diccionario marketing | auditoría marketing gratis | recomendamos | contacto

foromarketing.com
Punto de encuentro de los profesionales de marketing y ventas...

Síguenos en:

Suscríbete al boletín

Email...

☐ Acepto la política de privacidad.   **Suscribir**

inicio | marketing estratégico | noticias | encuesta del mes | aplausos y espaldas | punto de vista | hemeroteca

" La razón teme la derrota, pero la intuición disfruta la vida y sus desafíos "   (Paulo Coelho)

¿Eres un comprador del siglo XXI?
Marca la afirmación con la que estás más de acuerdo en cada caso.

1. Soy un comprador...
☐ a. racional: comparo y solo compro lo que necesito.
☐ b. que sé qué comprar, aunque a veces me llevo cosas que no había pensado.
☑ c. impulsivo, sin una idea clara de qué comprar.

2. Creo que...
☐ a. los productos de marca me garantizan una calidad que otros no tienen.
☐ b. no es determinante la marca.
☑ c. las marcas están sobrevaloradas y encarecen el producto demasiado.

3. Hago la compra...
☐ a. por Internet. Es cómodo y ahorras porque no compras caprichos.
☑ b. en centros comerciales con horarios flexibles.
☐ c. en el mercado. No podría comprar sin ver el producto, sin saber la fecha de caducidad.

4. Voy de compras y mi forma de pagar es...
☑ a. por Internet o con tarjeta.
☑ b. pagar por Internet en empresas que me dan confianza. Para el resto de cosas, en efectivo.
☐ c. indiferente, pero prefiero sacar dinero del cajero y pagar en efectivo.

5. El dependiente...
☑ a. no me gusta, prefiero los foros, ya que la gente te da buenos consejos.
☑ b. a veces es muy pesado. Otras, en cambio, te ayuda mucho.
☐ c. para mí es fundamental hablar con él. Te asesora, te da varias opciones, te recomienda...

Mayoría de A: Eres un comprador práctico. Confías plenamente (tal vez demasiado) en las empresas que venden por Internet..., pero quizás hayas perdido un poco el contacto con la gente y el placer de comprar como acto social.
Mayoría de B: Eres un comprador razonable. Eres capaz de comprar por Internet en ocasiones especiales o cuando no puedes hacerlo en tiendas. Internet es una interesante segunda opción para ti, pero todavía tienes dudas y comprar es una actividad gratificante.
Mayoría de C: Eres un comprador romántico. Disfrutas de las compras con amigos, te gusta ver y probar lo que compras, comparar precios y calidades... te apasionan los escaparates y hacer un descanso entre tienda y tienda para tomar un café.

b. ▸ Busca en el cuestionario las palabras que corresponden a estas definiciones.

1. *ir de compras* — Ir a comprar por placer.
2. *impulsivo* — Persona que habla o actúa sin reflexión.
3. *escaparte* — Gran ventana de las tiendas.
4. *ahorrar* — No gastar dinero. Evitar un gasto.
5. *fecha de cad...* — El último día que se puede consumir un producto.
6. *productos de marca* — Producto fabricado por una empresa de prestigio.
7. *dependiente* — Empleado que atiende a los clientes en las tiendas.
8. *hacer la compra* — Ir a comprar alimentos y productos de limpieza.

c. ▶ **Completa los siguientes anuncios y carteles.**

centro comercial • devoluciones • comprador • tarjeta de crédito • precio • tallas

extra supermercado
Admitimos el pago con .tarjeta....

MANGO
No se admiten *devoluciones* de ropa interior.

premier EL Limonar CENTRO COMERCIAL
Bienvenido al mayor *Centro Comercial* de la provincia, con más de 200 tiendas.

La Boutique
....*tallas*.. disponibles: S, M, L, XL y XXL.

extra supermercado
..*precio*... sin IVA.

Media Markt
El .*comprador*.. debe entregar el tique para cualquier reclamación.

2 Interactúa en la tienda

a. ▶ **Ordena estos diálogos y señala los recursos comunicativos que se usan.**

A
- De acuerdo, ahora le traigo otros. 5
- ¿Tiene el tique de compra? 3
- Hola, ¿qué desea? 1
- Sí, aquí tiene. 4
- Pues verá, ayer me fui a poner estos pantalones y me di cuenta de que tenían un agujero, así que me gustaría cambiarlos. 2

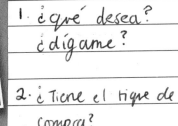

B
- Sí, es el 7560.
- Sí. C/ Polonia, número 56 2º B.
- La tienda en casa, ¿dígame?
- ¿Me da el número de referencia?
- ¿Y lo podría encargar?
- En estos momentos no tenemos disponibles.
- Hola. Me gustaría comprar el sillón de automasaje.
- Claro, se lo podemos pedir y lo tendremos aquí en 10 días. Solo necesitamos su dirección.
- De acuerdo, su pedido le llegará en una semana.

C
- Solo para cantidades superiores a 10 €.
- Un kilo de tomates, un pimiento, dos ajos, pan y 6 botellas de agua, ¿correcto?
- 7,50 €.
- No tengo suelto, ¿admiten tarjeta?
- Sí, ¿cuánto es?
- Pues añada 3 latas de sardinas y 200 g de queso manchego.

(notas manuscritas)
1. ¿qué desea? ¿dígame?
2. ¿Tiene el tique de compra? Cambiar + pronoun
3. ¿lo podría encargar? se lo podemos pedir

b. ▶ **Elige una situación y, en parejas, represéntala.**

En una agencia de viajes, quieres pedir información sobre viajes que estén en oferta.	Te han regalado una camiseta que no es de tu talla. Ve a la tienda y cámbiala.	Vas a una pastelería para encargar una tarta de cumpleaños.	Vas a pagar la compra del mes en el cajero en un centro comercial.

Paso 2
Lee y escribe
Formas de comprar

1 Comprende y exprésate sobre las formas de comprar

a. ▶ Lee y escribe un título a cada texto.

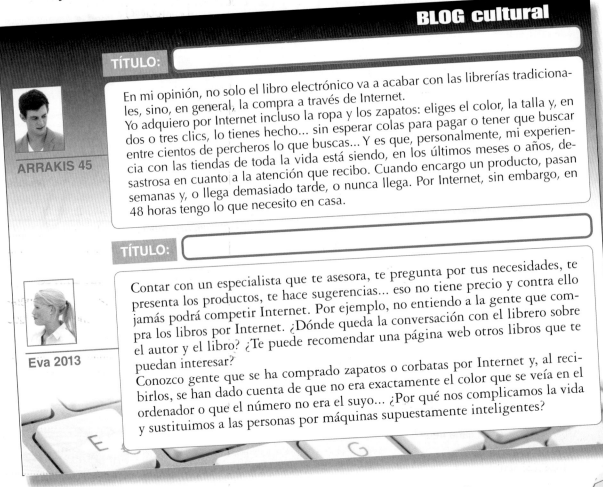

BLOG cultural

TÍTULO:

ARRAKIS 45

En mi opinión, no solo el libro electrónico va a acabar con las librerías tradicionales, sino, en general, la compra a través de Internet.
Yo adquiero por Internet incluso la ropa y los zapatos: eliges el color, la talla y, en dos o tres clics, lo tienes hecho... sin esperar colas para pagar o tener que buscar entre cientos de percheros lo que buscas... Y es que, personalmente, mi experiencia con las tiendas de toda la vida está siendo, en los últimos meses o años, desastrosa en cuanto a la atención que recibo. Cuando encargo un producto, pasan semanas y, o llega demasiado tarde, o nunca llega. Por Internet, sin embargo, en 48 horas tengo lo que necesito en casa.

TÍTULO:

Eva 2013

Contar con un especialista que te asesora, te pregunta por tus necesidades, te presenta los productos, te hace sugerencias... eso no tiene precio y contra ello jamás podrá competir Internet. Por ejemplo, no entiendo a la gente que compra los libros por Internet. ¿Dónde queda la conversación con el librero sobre el autor y el libro? ¿Te puede recomendar una página web otros libros que te puedan interesar?
Conozco gente que se ha comprado zapatos o corbatas por Internet y, al recibirlos, se han dado cuenta de que no era exactamente el color que se veía en el ordenador o que el número no era el suyo... ¿Por qué nos complicamos la vida y sustituimos a las personas por máquinas supuestamente inteligentes?

b. ▶ Resume las opiniones de los autores sobre cada aspecto. ¿Qué opinas tú?

La rapidez al comprar

El futuro de los libros y las librerías

El servicio y la atención al cliente

Comprar ropa y zapatos

La efectividad de las páginas web de ventas

c. ▶ Lee estas opiniones sobre el comercio y marca R (en red) o T (tradicional) según la forma que defienden. ¿Con qué opinión estás más de acuerdo?

1. Ahora puedes comprar lo que quieras y donde quieras, por ejemplo, un libro en una librería de Buenos Aires sin salir de casa.
2. Es cómodo tener clasificado lo que quieras comprar por el precio de cuanto desees gastar.
3. Me gustan las tiendas donde te puedes probar unos zapatos, tocar el tejido de una chaqueta...
4. Yo busco por Internet lo que necesito y después voy a la tienda, y lo compro.
5. Prefiero el dependiente que explica lo que busco, una tienda donde puedes devolver el producto o donde te ayudan.
6. Lo más importante para mí es que puedes elegir: puedes comprar como te guste más o como sea más cómodo.

2 | Fíjate en los pronombres y en las oraciones relativas

a. ▶ Lee las opiniones anteriores y completa, con los ejemplos señalados, esta explicación.

Gramática

	+ Indicativo	+ Subjuntivo
Que	Conozco la existencia de la persona o cosa de la que hablo. Ejemplo: ....*tarjeta*......................................	No conozco la existencia de la persona o cosa de la que hablo, no existe o no me importa. Ejemplo: *En ese tipo de tiendas no hay nadie que te atienda o que te asesore.*
Donde	Conozco la existencia del lugar del que hablo. Ejemplo:	No conozco la existencia del lugar del que hablo o no me importa. Ejemplo: ....
Como	Conozco el modo de realizar la acción de la que hablo. Ejemplo: *Yo hago la compra como hacía mi madre, en tiendas pequeñas.*	No conozco el modo de realizar la acción de la que hablo o no me importa. Ejemplo: ....
Cuanto	Hablo de una cantidad conocida. Ejemplo: *Recogimos dinero para comprar un gran regalo. Todos dimos cuanto pudimos.*	Hablo de una cantidad desconocida. Ejemplo: ....
Lo que	Para hablar de ideas abstractas, muy generales, no específicas, que conocemos. Ejemplo:	Para hablar de ideas abstractas, muy generales, no específicas, que no conocemos o que no nos importan. Ejemplo: ....

b. ▶ **Completa con el relativo y con la forma adecuada del verbo.**

1. - ¿Qué le vamos a regalar a Irene?
   - Pues no sé, (decidir) .... entre todos. Vamos a hablarlo esta tarde.
2. - ¿Sabes (ver, yo)............................ ayer en Amazon? El libro (querer) .... Marcos y .... no (encontrar) .... en las librerías de aquí. ¿Se lo compramos?
3. - ¿Vamos al centro comercial a comprar el ordenador o lo buscamos por Internet?
   - .... tú (creer)............................ que es más barato, yo no tengo ni idea.
4. - ¿Vamos en metro o en coche?
   - No sé, (decir) .... vosotros.

3 | Redacta tu opinión sobre las formas de comprar

a. ▶ **Anota ideas a favor y en contra de la compra por Internet de los siguientes productos.**

Productos informáticos   La compra en el supermercado
Ropa, zapatos y complementos   Muebles y cosas de casa
Música y películas   Un viaje (vuelos, hotel, etc.)

b. ▶ **Ahora, elige uno de los temas anteriores y escribe tu opinión para el blog cultural.**

Paso 3
Escucha y cuenta
Un regalo especial

1 Comprende y conoce algunas marcas españolas

▸ **Observa las páginas web e indica a qué sector se dedica cada empresa. Luego, escucha e identifica de qué productos hablan.**

> Alimentación • Banca y finanzas • Carburantes • Ferrocarriles • Moda y calzado
> Prensa e información • Telecomunicaciones • Transporte aéreo

2 Reconoce los marcadores temporales y ordena las acciones

a. ▸ **Di el orden correcto de este texto.**

3 Sus dibujos tuvieron cada vez mayor reconocimiento y las peticiones fueron aumentando. Mientras tanto, se incorporaron otros dibujantes, y al cabo de los años, en 1996, se abrió la primera tienda oficial Kukuxumusu. Todo este éxito no ha cambiado a los miembros de Kukuxumusu, ya que durante toda su carrera han tenido claro que su objetivo es el mismo que cuando empezaron: «pasárselo bien mientras trabajan».

1 Kukuxumusu (en euskera, *beso de pulga*) es una empresa de Pamplona que desde hace muchos años se dedica a diseñar camisetas y otros artículos con dibujos humorísticos.

2 En 1989, mientras se desarrollaban las fiestas, tres amigos decidieron estampar y vender camisetas con dibujos que tenían como tema principal las fiestas de San Fermín. Las camisetas gustaron mucho tanto en su ciudad como en otras cercanas, lo que les llevó a crear Kukuxumusu.

4 Hace más de veinte años que realizan diseños para carteles de fiestas, promociones universitarias y de viajes de estudios, expediciones de montaña, acciones ecologistas, culturales, sociales, etc.

Adaptado de *www.wikipedia.com*

b. ▶ **Relaciona los marcadores temporales con su significado y busca un ejemplo en los textos anteriores.**

[A] Marcadores temporales	[B] Explicaciones	[C] Ejemplos en el texto
Hace + cantidad de tiempo + *que*	Señala el principio de un acontecimiento actual.	
Desde hace + cantidad de tiempo	Indica que una acción ocurre al mismo tiempo que otras acciones citadas con anterioridad.	
Al cabo de + cantidad de tiempo	Informa de la cantidad de tiempo que dura una acción.	
Mientras + verbo	Significa 'después del tiempo que se expresa'.	
Mientras tanto + verbo	Señala dos acciones simultáneas. Significa lo mismo que *mientras*, pero va con sustantivo, no con verbo.	
Durante + sustantivo	Relaciona dos acciones que ocurren al mismo tiempo.	

c. ▶ **Completa.**

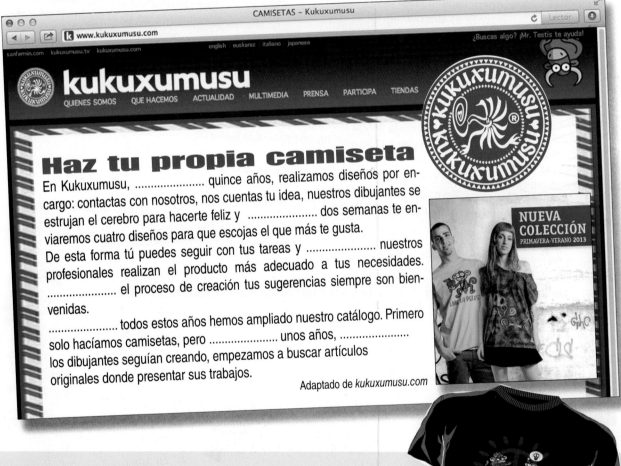

CAMISETAS – Kukuxumusu
www.kukuxumusu.com
english euskaraz italiano japanese
¿Buscas algo? ¡Mr. Testis te ayuda!
sanfermin.com kukuxumusu.tv kukuxumusu.com

kukuxumusu
QUIENES SOMOS   QUE HACEMOS   ACTUALIDAD · MULTIMEDIA   PRENSA   PARTICIPA   TIENDAS

Haz tu propia camiseta

En Kukuxumusu, ... quince años, realizamos diseños por encargo: contactas con nosotros, nos cuentas tu idea, nuestros dibujantes se estrujan el cerebro para hacerte feliz y .... dos semanas te enviaremos cuatro diseños para que escojas el que más te gusta.

De esta forma tú puedes seguir con tus tareas y .... nuestros profesionales realizan el producto más adecuado a tus necesidades. .... el proceso de creación tus sugerencias siempre son bienvenidas.

.... todos estos años hemos ampliado nuestro catálogo. Primero solo hacíamos camisetas, pero .... unos años, ... los dibujantes seguían creando, empezamos a buscar artículos originales donde presentar sus trabajos.

Adaptado de kukuxumusu.com

NUEVA COLECCIÓN PRIMAVERA-VERANO 2013

3

Diseña un recuerdo

a. ▶ **Elige una de las opciones y describe el acontecimiento.**

- Un acontecimiento deportivo que tu equipo favorito ganó.
- Un acontecimiento familiar especial.
- Un acontecimiento relacionado con tus estudios o con tu trabajo.
- Un acontecimiento romántico.

b. ▶ **Diseña y cuéntanos una camiseta que sirva de recuerdo.**

Paso 4
Repasa y conversa
Los comercios del futuro

1 Repasa el vocabulario para hablar de los hábitos de consumo

a. ▷ **Completa el texto con las palabras del cuadro.**

> comprador — rebajas
> racional — irracional
> impulsiva — placer
> probarse — probador
> escaparate — dependiente
> caducidad

DiarioLATercera.com

◉ diariolatercera.com

¿Necesitas comprar para experimentar ....? ¿No puedes mirar un .... sin sentir la necesidad de comprar algo? Si es así, puedes sufrir la compra .... Una universidad chilena ha hecho un estudio que revela que el 14 % de la población es .... altamente impulsivo, un 18 % son mujeres y el 10 % son hombres. La compra impulsiva, también llamada *compra* ...., puede acarrear problemas psicológicos, pero además estos compradores gastan más de lo que ganan con su salario. Cuando mejor podemos experimentar esta conducta, es durante el periodo de .... , donde todos nos volvemos un poco locos.
¿Cuáles son los síntomas? Los más habituales son los siguientes:
- No .... la ropa y comprarla directamente, sin pasar primero por el ....
- No consultar con el .... de la tienda antes de realizar una compra.
- Con los alimentos, un síntoma claro es no consultar el precio o la fecha de .... del producto, fijándonos solo en el envoltorio.
¿Por qué caemos en esto? El investigador explica que el consumo impulsivo no es ...., y que se debe a elementos psicológicos. En palabras del Dr. Unanue: «La compra impulsiva es un mecanismo que utilizamos para acercarnos más a lo que queremos ser y dejar atrás lo que somos».

Adaptado de *diariolatercera.com*

b. ▷ **Lee de nuevo el texto y di si estas afirmaciones son verdaderas o falsas.**

	V	F
1. Chile es el país con mayor número de personas con este síndrome.	☐	☐
2. Comprar compulsivamente afecta más a las mujeres que a los hombres.	☐	☐
3. Un síntoma claro de este problema es no consultar el precio de los productos.	☐	☐

2 Repasa los relativos

a. ▷ **Relaciona y forma frases.**

1. Podemos buscar la chaqueta en la tienda
2. ¿Y si vamos al centro comercial y compramos
3. ¿Zara o Mango? No sé...
4. Si necesitas dinero, pídeme
5. Estos son los pantalones
6. Creo que esta es la página web
7. Por su cumpleaños le di 60 euros y él se compró
8. El bolso
9. ¿Cómo pagamos, con tarjeta o en efectivo?

> lo que
> como
> que
> cuanto
> donde

a. me regaló mi madre en Navidad.
b. más nos guste?
c. me prestaste es precioso. Estoy buscando uno igual.
d. tú prefieras. A mí me da igual.
e. quiso.
f. te haga falta, ¿vale?
g. encontraron los billetes más baratos.
h. compramos los pantalones negros.
i. quieras... yo tengo dinero, si quieres.

b. ▷ Completa.

1. Fui a la tienda que me (recomendar) ...., pero estaba cerrada.
2. Estamos buscando algún sitio donde (hacer) .... camisetas personalizadas.
3. Prefiero las tiendas pequeñas donde todos los alimentos (ser) .... frescos.
4. Compre lo que (necesitar) .... con importantes descuentos y ofertas.
5. Podemos ir a una o a otra tienda según cuanto (querer) .... gastar. Estas tiendas de aquí son más caras...
6. ¿Nos llevamos la tarta de chocolate o la de fresas? Como (preferir) ...., ya sabes que yo como de todo.

3 Repasa los pronombres

▷ Completa y relaciona.

1. ¿Has comprado ya el regalo para Carlos?
2. Dicen que ayer .... peleó tu madre en una tienda.
3. Perdone, ¿puedo probarme esta chaqueta?
4. Estuve mirando el nuevo móvil y me encanta.
5. Me han regalado un ordenador y tengo que ir a la tienda a sellar la garantía.
6. Marta, papá .... está esperando para ir al centro comercial.
7. Mi hermano y la tienda donde compró el ordenador estuvieron intercambiando......... e-mails durante cuatro meses,
8. ¿Te gusta el abrigo de mi tío? .... regalé yo el año pasado.

a. Sí, claro, señora. Tóme......... y pruébe.........
b. Pues cómpra......... . Es un poco caro, pero seguro que tú .... das mucho uso.
c. ¡Un momento! Estoy peinándo........., solo tardo dos minutos.
d. pero, al final, consiguió la devolución del dinero.
e. Ahora mismo estoy comprándo.........
f. Si quieres .... llevo yo para que .... sellen.
g. Sí, sí, yo .... estaba probando unos pantalones y, al salir, mi madre y la dependienta .... estaban peleando.
h. Es precioso. ¿Dónde .... compraste?

4 Repasa los temporales

a. ▷ Escucha y marca la opción correcta.

1. Le regalaron la camisa a Carlos...
   a. hace una semana.
   b. hace dos semanas.
   c. esta semana.

2. Sara estuvo de compras mientras Paula...
   a. cenaba en un restaurante.
   b. hacía un examen.
   c. estaba en la biblioteca.

3. ¿Cuándo volvió Iván a España?
   a. En 2007.
   b. En 2008.
   c. En 2009.

4. Trabaja con el padre desde...
   a. hace siete años.
   b. hace ocho años.
   c. 2005.

b. ▷ Elige la opción adecuada.

1. Llegamos al centro comercial *desde hace/hace* tres horas, pero no encontramos nada y nos vamos.
2. Mi hermana trabaja en esta tienda *desde hace/al cabo de* ocho meses y está muy contenta.
3. Primero fuimos a buscar el libro para papá, luego estuvimos comprando los juguetes para los niños y después fuimos a comprar unas gafas para la abuela. *Mientras tanto/Durante*, Gaby estuvo con los niños en el cine y en el parque.
4. Creo que *al cabo de/mientras* José estaba en el examen, Clara hizo las compras por Internet.
5. *Durante/Mientras* la Navidad es imposible entrar en las tiendas... están todas llenas, no se encuentra nada...

5 ¿Cómo crees que serán en el futuro las compras?

a. ▷ **Antes de dar tu opinión, piensa en las ventajas y los inconvenientes de cada procedimiento.**

VENTAJAS

INCONVENIENTES

b. ▷ **Luego, responde a estas preguntas.**

1. Qué ventajas y qué inconvenientes tiene la banca *on-line*?

2. ¿Piensas que en el futuro será normal comprar ropa por Internet?

3. ¿Desaparecerán en el futuro los supermercados como los conocemos actualmente? ¿Por qué?

4. ¿Qué opinas de otros negocios que cada vez más solo se realizan por Internet: compañías aéreas, empresas de telefonía móvil, etc.?

- Lo bueno/mejor/negativo que tiene es... porque...
- Sin embargo, lo malo/peor/negativo es que... porque...
- También hay que tener en cuenta que...
- No podemos olvidarnos de.../No podemos olvidar que...

Discute con tus compañeros
vuestra opinión.

Elige la mejor campaña publicitaria

SE VENDE

-40% -20% -5% -25% 10%

Paso 1 Comprende e interactúa	y haz una reclamación.
Paso 2 Escucha y cuenta	consejos ante una reclamación.
Paso 3 Lee y escribe	cinco mandamientos sobre la ética en publicidad.
Paso 4 Repasa y conversa	sobre la imagen en la publicidad.

Paso 1
Comprende e interactúa
Un hecho pasado

1 Comprende una reclamación

a. ▸ **Lee el texto y, luego, marca si las afirmaciones son verdaderas o falsas.**

El Independiente
Diario independiente de la mañana

Editorial

Cartas al director

Mi pareja y yo íbamos a comprarnos un piso de segunda mano, porque son más baratos, pero finalmente nos decidimos por uno nuevo en construcción de 70 metros cuadrados.

La sorpresa llegó cuando ya estaba construido, estábamos pagando la hipoteca y, con el camión de la mudanza, nos llevábamos todos nuestros muebles allá. Nos dimos cuenta de que era más pequeño cuando vimos que en el cuarto de los niños teníamos que poner una litera porque no cabían bien dos camas: tenía exactamente 10 metros cuadrados menos. En un primer momento, pensé que se habían equivocado, que ese no era nuestro piso, así que llamamos a la inmobiliaria. La secretaria me respondió inmediatamente: «Inmobiliaria Torres Blancas, ¿qué quería?». Pero luego se dedicó a echar balones fuera, es decir, nos dio

excusas de todo tipo, buscó justificar lo que es una estafa e intentó convencernos de que teníamos exactamente lo que habíamos pagado.

Además, la chica de la inmobiliaria no tenía ni idea de nada: primero pensó que hablábamos de un piso alquilado, luego nos dijo algo de que iban a arreglar el portero automático... en fin, un desastre. Profesionalidad, cero.

Antes teníamos una ilusión: nos levantábamos todos los días temprano, íbamos a trabajar y nos encontrábamos por la tarde para hacer planes de futuro. Cuando compramos el piso, pensamos que nuestra nueva vida comenzaba de verdad. Ahora estamos un poco perdidos y no sabemos qué hacer, por eso les hemos escrito, para ver si nos pueden echar una mano.

		V	F
1.	En realidad, el piso que compró esta pareja medía 60 metros cuadrados.		X
2.	La secretaria de la inmobiliaria hizo todo lo posible por solucionar el problema.		X
3.	La pareja considera que han sido engañados.	✓	
4.	La secretaria les habló de problemas que no tenían que ver con ellos.	✓	
5.	Antes de esto, la pareja tenía mucha ilusión en su futuro. Ahora, están decepcionados y perdidos.	✓	

b. ▸ **Observa las expresiones marcadas en el texto y relaciónalas con su significado.**

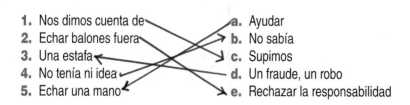

1. Nos dimos cuenta de
2. Echar balones fuera
3. Una estafa
4. No tenía ni idea
5. Echar una mano

a. Ayudar
b. No sabía
c. Supimos
d. Un fraude, un robo
e. Rechazar la responsabilidad

c. ▶ **Completa con las palabras del cuadro.**

> de segunda mano • litera • portero automático • hipoteca • camión de mudanzas

1. En el cuarto de los niños vamos a poner una ...litera...., porque así ahorramos espacio.
2. Mañana viene el ...camión... temprano. Luego, colocaremos las cosas en el nuevo piso.
3. Hay que arreglar el ...portero....... porque no se escucha cuando alguien llama.
4. Pagamos de ....hipoteca cerca de 750 euros... ¡una locura!
5. Mi hermana y su marido van a alquilar un piso ..de...segundo. porque es mucho más barato.

2 Repasa el uso de los pasados

a. ▶ **Marca en el texto ejemplos de tiempos verbales en pasado (pretérito imperfecto, perfecto simple y compuesto, y pluscuamperfecto) y relaciónalos con su función.**

> Descripción en el pasado

> Sustituye al presente y sirve para expresar cortesía en contextos formales

> Narración de hechos terminados

> Hábitos en el pasado

> Intención de realizar una acción en el pasado

> Acción pasada en desarrollo interrumpida o modificada por otra acción

> Acción terminada con relación con el presente

> Anterioridad respecto a una acción pasada

b. ▶ **Relaciona la intención comunicativa (de la derecha) con cada frase.**

1. Iba a comprar al supermercado y me encontré con Marcos.
2. Fui a comprar al supermercado y me encontré con Marcos.

a. No sabemos si llegó al supermercado.
b. Sabemos que fue al supermercado.

3. Cuando llegué a casa, Lucía se había ido al cine.
4. Cuando llegué a casa, Lucía se iba al cine.

a. Vi a Lucía.
b. No vi a Lucía.

5. Iba a hacer café, ¿quieres?
6. Hice café, ¿quieres?

a. El café no está hecho.
b. El café está hecho.

7. Llegó, vio lo que quería y lo compró.
8. Llegaba, veía lo que quería y lo compraba.

a. Habitualmente.
b. El sábado pasado.

3 Interactúa y haz una reclamación

▶ **Elige una de estas situaciones u otra que te haya ocurrido, piensa en los detalles e imagina una conversación con la inmobiliaria.**

> Has alquilado un apartamento en la costa para pasar el verano y, cuando entras, el apartamento está viejo, sucio y hay muebles rotos.

> Estás de mudanza. La empresa te prometió que te recogían los muebles y, en dos semanas, los tenías en la nueva vivienda, pero ya ha pasado un mes y sigues en un hotel.

> Compraste por Internet un piso nuevo a muy buen precio, pero, cuando vas a él por primera vez, te das cuenta de que es de segunda mano y está bastante viejo.

> Has alquilado un piso por Internet, pero no dispone de los servicios contratados: no hay WiFi ni electrodomésticos y la parada de metro no está cerca.

1 Comprende unas reclamaciones y toma nota de los consejos

8

a. ▸ Escucha e indica el orden en el que aparecen estos problemas.

☐ **Entrega del producto equivocado**	☐ **Publicidad engañosa**
☐ **Cancelación**	☐ **Producto defectuoso**
☐ **Fraude inmobiliario**	☐ **Entrega incompleta**

b. ▸ Escucha otra vez y toma nota de los consejos que dan a los consumidores y marca el recurso comunicativo que usan para aconsejar.

Recomendaciones	Exponentes / Estructura
Situación 1	a. **Yo que usted** + *condicional* b. *Imperativo*
Situación 2	a. **Debe** + *infinitivo* b. **Tendría que** + *infinitivo*
Situación 3	a. **Intenta que** + *subjuntivo* b. **Lo mejor es que** + *subjuntivo*
Situación 4	a. **Yo que usted** + *condicional* b. **Intenta que** + *subjuntivo*
Situación 5	a. **Le aconsejo que** + *subjuntivo* b. **Es conveniente que** + *subjuntivo*
Situación 6	a. **Podrías** + *infinitivo* b. **Deberías** + *infinitivo*

c. ▸ Marca las formas para expresar sorpresa y reacciona a estas situaciones dando consejos.

1 ¿Sabes lo que me ha pasado? He comprado estos pantalones y resulta que le faltan los botones… ¡todos!

2 ¡Esto es lo último! El sofá que pedimos por Internet ha llegado, pero lo han traído en otro color.

3 Adivina qué ha pasado, Antonio. La falda que me has regalado, que me encanta, está rota por detrás.

4 No sé qué hacer, hace más de 20 días que compré el ordenador portátil y todavía no lo he recibido. Me dijeron que en diez días estaba en casa.

5 ¡Esto es increíble! ¿Te acuerdas de las gafas de sol que compré por Internet? Pues me han traído unas gafas, pero de ver.

6 ¿Recuerdas que Juan se iba a ir a Quito? Pues… ¡no te lo vas a creer! Su vuelo no puede salir por la nieve y no sabe qué hacer.

7 ¡No doy crédito! Llevo tres días con mi coche nuevo y esta mañana no funcionaba.

8 Lo que pasó en la boda de mi hermana fue increíble: el restaurante que contrató para organizar la celebración trajo toda la comida en mal estado. El día de su boda… ¡es de chiste!

2 Da consejos ante una reclamación

a. ▸ **Observa esta reclamación y di si estas afirmaciones son verdaderas o falsas.**

☐ La constructora es madrileña.
☐ La construcción debía estar terminada a finales de 2012.
☐ La queja de Ana Cózar Gómez se debe a la mala calidad de los materiales de la casa.
☐ La reclamante quiere como compensación económica que le devuelvan todo su dinero.

HOJA DE QUEJAS Y RECLAMACIONES

DATOS DE LA PERSONA QUE PRESENTA LA QUEJA O RECLAMACIÓN:
Nombre y apellidos: Ana Cózar Gómez
Domicilio: C/ Alta
Población: Vejer
Provincia: Cádiz
C.P.: 29010
Teléfono: 954322567

DATOS DE LA SOCIEDAD (EMPRESA, DEPARTAMENTO O ESTABLECIMIENTO) A LA QUE SE REFIERE LA QUEJA:
Nombre de la sociedad: Constructora SINDESA
Departamento: Inmobiliaria
Domicilio: C/ Juan de Robles, nº8
Población: Madrid
Provincia: Madrid
C.P.: 28548
Teléfono: 910578236

QUEJA O RECLAMACIÓN:
Describa los hechos y motivos de la queja o reclamación que presenta ante el Servicio de Atención al Cliente de la sociedad:

> Compramos un piso a la constructora SINDESA en el año 2010, sita en Madrid. La constructora debía construir unos chalés adosados en Vejer de la Frontera (Cádiz) en el plazo de dos años, pero a fecha de hoy las obras todavía no han comenzado.

PETICIÓN QUE REALIZA:
Describa la petición que realiza a la Sociedad en relación a los hechos anteriormente descritos:

> Solicitamos una compensación económica acorde con el retraso en la construcción de nuestro chalé.

En Vejer de la Frontera a 23 de octubre de 2012

Firma:

INFORMACIÓN
y ATENCIÓN
CIUDADANA

www.mop.cl

b. ▸ **¿Qué consejo le darías a esta persona?**

1 **Comprende un texto sobre el código ético en la publicidad.**

a. ▶ Completa el texto con las palabras del recuadro, que son sinónimas de las que están entre corchetes.

informar • prácticas • folleto - propaganda • perjudiquen • Constitución • anuncios • honor • publicitarias • comentarios

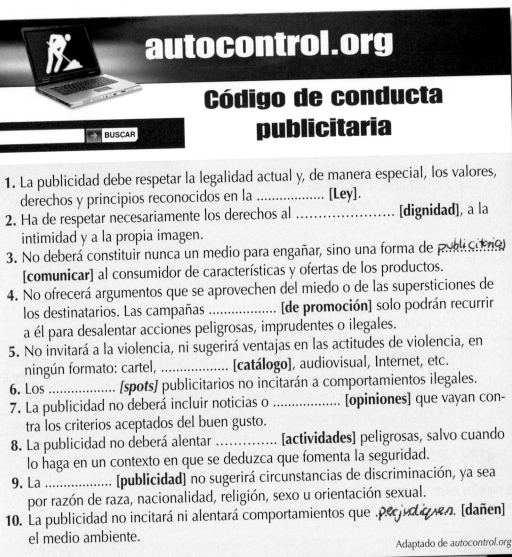

autocontrol.org

Código de conducta publicitaria

BUSCAR

1. La publicidad debe respetar la legalidad actual y, de manera especial, los valores, derechos y principios reconocidos en la .... **[Ley]**.
2. Ha de respetar necesariamente los derechos al .... **[dignidad]**, a la intimidad y a la propia imagen.
3. No deberá constituir nunca un medio para engañar, sino una forma de *publicitaria* **[comunicar]** al consumidor de características y ofertas de los productos.
4. No ofrecerá argumentos que se aprovechen del miedo o de las supersticiones de los destinatarios. Las campañas .... **[de promoción]** solo podrán recurrir a él para desalentar acciones peligrosas, imprudentes o ilegales.
5. No invitará a la violencia, ni sugerirá ventajas en las actitudes de violencia, en ningún formato: cartel, ... **[catálogo]**, audiovisual, Internet, etc.
6. Los .... **[spots]** publicitarios no incitarán a comportamientos ilegales.
7. La publicidad no deberá incluir noticias o .... **[opiniones]** que vayan contra los criterios aceptados del buen gusto.
8. La publicidad no deberá alentar .... **[actividades]** peligrosas, salvo cuando lo haga en un contexto en que se deduzca que fomenta la seguridad.
9. La .... **[publicidad]** no sugerirá circunstancias de discriminación, ya sea por razón de raza, nacionalidad, religión, sexo u orientación sexual.
10. La publicidad no incitará ni alentará comportamientos que *perjudiquen.* **[dañen]** el medio ambiente.

Adaptado de *autocontrol.org*

b. ▶ **Argumenta tu opinión.**

1. Según tu punto de vista, ¿cuáles de los artículos del código de autocontrol crees que se respetan menos en la publicidad actual?

2. ¿Crees que actualmente es muy común la publicidad engañosa?

c. ▶ **Lee estas opiniones y señala aquellas con las que te identificas más.**

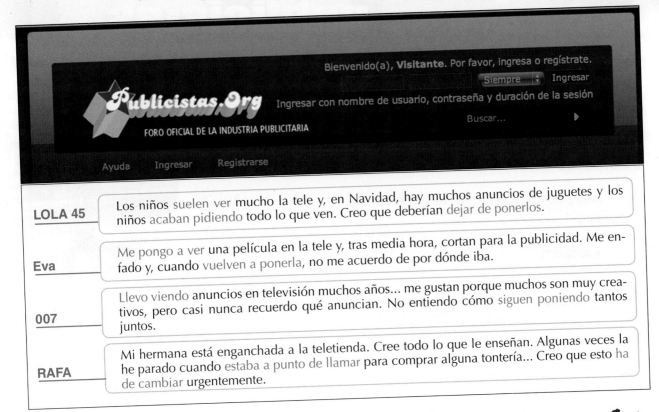

Bienvenido(a), **Visitante**. Por favor, ingresa o regístrate.

Siempre ⬍   Ingresar

Publicistas.Org
FORO OFICIAL DE LA INDUSTRIA PUBLICITARIA

Ingresar con nombre de usuario, contraseña y duración de la sesión

Buscar…   ▶

Ayuda   Ingresar   Registrarse

LOLA 45	Los niños suelen ver mucho la tele y, en Navidad, hay muchos anuncios de juguetes y los niños acaban pidiendo todo lo que ven. Creo que deberían dejar de ponerlos.
Eva	Me pongo a ver una película en la tele y, tras media hora, cortan para la publicidad. Me enfado y, cuando vuelven a ponerla, no me acuerdo de por dónde iba.
007	Llevo viendo anuncios en televisión muchos años… me gustan porque muchos son muy creativos, pero casi nunca recuerdo qué anuncian. No entiendo cómo siguen poniendo tantos juntos.
RAFA	Mi hermana está enganchada a la teletienda. Cree todo lo que le enseñan. Algunas veces la he parado cuando estaba a punto de llamar para comprar alguna tontería… Creo que esto ha de cambiar urgentemente.

2 | Aprende a usar las perífrasis

▶ **Observa las perífrasis marcadas antes y relaciónalas con su significado.**

Gramática

Perífrasis verbales	Significados	Expresión equivalente
1. *Ponerse a* + infinitivo	a. Repetir una acción, hacerla otra vez.	I. Enseguida
2. *Soler* + infinitivo	b. Expresa que finalmente se realiza una acción.	II. En ese momento
3. *Volver a* + infinitivo	c. Indica la cantidad de tiempo que se realiza una acción.	III. Tener que
4. *Estar a punto de* + infinitivo	d. Expresa que una acción se va a producir en breve.	IV. Ya no
5. *Seguir* + gerundio	e. Comenzar a hacer una acción.	V. Normalmente
6. *Llevar* + gerundio + cantidad de tiempo	f. Indica obligación.	VI. Otra vez
7. *Acabar* + gerundio	g. Terminar una acción o hacer una pausa.	VII. Finalmente
8. *Haber de* + infinitivo	h. Realizar una actividad habitualmente.	VIII. Todavía
9. *Dejar de* + infinitivo	i. Expresa la continuidad de una acción.	IX. Hace… que

3 | Confecciona tus normas sobre la ética en publicidad

La ética en la publicidad

▶ **¿Crees que la publicidad debe tener unos límites éticos o todo vale con el fin de vender?**
Escribe un breve texto exponiendo cinco aspectos que deberían controlar los creadores de campañas publicitarias o las empresas.

Paso 4 Los publicistas
Repasa y conversa

1 Repasa las perífrasis verbales

a. ▸ Subraya la opción adecuada según el significado.

1. Esta empresa *suele/vuelve a* usar a famosos en sus campañas, igual que hizo el año pasado.
2. Las empresas normalmente *suelen/vuelven a* usar a famosos en sus campañas.

3. La televisión pública acaba de anunciar que ya casi *está a punto de/ha de* quitar toda la publicidad.
4. La televisión pública, según la nueva normativa de la UE, *está a punto de/ha de* quitar toda la publicidad.

5. El anuncio, pese a tener ya unos cuantos años, *acabó/siguió* ganando muchos premios de publicidad.
6. El anuncio finalmente *acabó/siguió* ganando muchos premios de publicidad.

b. ▸ Completa con la perífrasis adecuada.

1. .... cambiar muchas cosas en la televisión. Esto no puede seguir así.
2. Creo que lo tienen todo listo. .... empezar a grabar.
3. En la agencia .... preparando la campaña desde principios de febrero.
4. Mi empresa .... contratar al mismo famoso todos los años. Como da buenos resultados, ¿para qué cambiar?
5. La campaña benéfica fue un éxito y .... ganando casi un millón de euros para los más pobres.

2 Repasa los pasados

▸ Piensa en la intención y completa con los verbos en el tiempo adecuado.

1. a Primero (llamar) .... a su casa, pero no estaba y luego me encontré con él en el restaurante.
1. b Mientras (llamar) .... a su casa me encontré con él. ¡Qué casualidad!
2. a Don Fernando, (querer).......................... comentarle algo sobre el asunto de ayer.
2. b Chicos, Fernandito (querer).......................... comentaros algo sobre el asunto de ayer.
3. a Llegué al aeropuerto para despedirme y, tras darle un pequeño regalo, Toñi se (ir).......................... .
3. b Llegué al aeropuerto para despedirme, pero desgraciadamente Toñi ya se (ir).......................... .
4. a Cuando (ir) .... de camino a tu casa, me encontré con tu novia.
4. b (Ir) .... a tu casa y allí me encontré con tu novia.

3 Repasa y amplía el vocabulario de la publicidad

a. ▸ Clasifica las palabras del cuadro en categorías.

| vallas publicitarias   campaña publicitaria   publicidad subliminal   promoción   consumidor   agencia publicitaria |
| hombre anuncio   anuncios   publicidad directa   publicidad por correo   código ético de publicidad |

Soportes publicitarios	Tipos de publicidad	Otros aspectos

b. ▸ **Subraya la opción correcta.**

1. El Gobierno prohibió hace años las *vallas/agencias* en las carreteras y campos de fútbol que hagan referencia al tabaco o al alcohol.

2. Mi hermano, cuando era estudiante, trabajó como *hombre anuncio/jefe de marketing*: llevaba un disfraz de paella para hacer publicidad de un restaurante. Más tarde pasó a hacer *anuncios/promoción* para la radio y para la televisión.

3. Odio la *publicidad subliminal/publicidad por correo*. Te llenan el buzón de un montón de papeles inútiles.

4. La última *campaña publicitaria/promoción* de Zara ha generado bastante polémica, ya que no cumple el *código ético/hombre anuncio*.

5. Dicen que la mejor publicidad no es la *directa/subliminal*, es la *directa/subliminal*, ya que no ves el producto como algo que te quieren vender.

6. Las grandes marcas deben estar siempre atentas a la demanda del *consumidor/espectador*.

7. Detrás de una gran campaña publicitaria siempre hay una gran *agencia/valla*.

8. Han hecho mucha *promoción/campaña* de las nuevas camisetas para vender más.

c. ▸ **Escucha y señala si las afirmaciones son verdaderas o falsas.**

	V	F
1. El cliente se compró unas zapatillas hace dos semanas.	☐	☐
2. Las zapatillas tenían un defecto de fábrica.	☐	☐
3. El cliente no presentó el recibo de la compra al dependiente.	☐	☐
4. El cliente usó las zapatillas dos días.	☐	☐
5. FACUA le sugiere presentar una queja formal por este problema.	☐	☐

4 | Repasa las formas de dar consejos

▸ **Pon los verbos en la forma adecuada.**

- ¿Sabes qué? Se me acaba de estropear la tostadora.
- Lo mejor (ser) .... que (volver) .... a la tienda con la garantía para que te la arreglen o cambien por otra.

- No sé qué hacer, me acaban de comunicar que el vuelo que había reservado se acaba de cancelar.
- (Llamar) .... a la compañía con la que contrataste el vuelo, y que te den una solución.

- Todavía no he recibido los libros que encargué.
- Yo que tú (anular) .... el pedido.

- Hemos comprado un chalé adosado en Alcobendas y tras más de un año la empresa constructora no ha iniciado las obras.
- Desde defensa del consumidor le (recomendar) .... que se (poner) .... en manos de su abogado y (denunciar) .... a la constructora.

5 ¿Cómo dirigir la publicidad al público destinatario? Expresa tu opinión. Antes, prepárate.

a. ▶ **Lee el texto del anuncio, elige la foto que crees que concuerda mejor con el público destinatario del anuncio y descríbela.**

El zapato
definitivo

* Comodidad
* La mejor calidad
* Informal, pero presentable
* Diseño cuidado
* Para todas las edades y todos los sexos
* Ideal para la vida de hoy

NOVEDAD

b. ▶ **Prepara tu argumentación a favor de la foto que has elegido. Ten en cuenta:**

- El mensaje que se quiere transmitir
- El impacto visual de la foto
- Las características y los valores que se destacan
- El público al que va dirigido

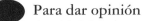 Para dar opinión
A mi juicio...
Me da la impresión de que...
Sin duda la foto número..., porque...
Lo complicado es...
A mí me dice/transmite...
A mí no me dice/transmite eso/nada...

Para expresar una idea contraria
No lo veo claro, quizá es mejor...
Eso no es lo más importante, hay que fijarse en...

 Para pedir opinión
¿Cómo lo ves tú? / ¿Cómo lo veis vosotros?
¿Qué os parece?
¿Qué opináis?
¿Coincidimos en este punto?

Para llegar a un acuerdo y sacar conclusiones
Entonces...
De todas formas...
En cualquier caso...

Discute con tus compañeros vuestra opinión.

Módulo 5

Descubre tu entorno ideal

Paso 1
Comprende e interactúa — debatiendo sobre la calidad de vida.

Paso 2
Lee y escribe — un informe sobre tu lugar ideal para vivir.

Paso 3
Escucha y cuenta — tus prioridades.

Paso 4
Repasa y conversa — sobre las mejores ciudades según tus gustos.

Paso 1
Comprende e interactúa
Calidad de vida

1 Aprende a describir y valorar lugares

a. ▶ Lee estos textos y relaciona cada uno con las diferentes opiniones. ¿Con cuál te identificas más? ¿Matizarías alguna opinión?

Crea tu cronología.
Sigue a gente para ver sus Tweets.

Comienza

Buscar por...

Marcos @socram — Seguir

Jesús @jesblog — Seguir

Dani @danituit — Seguir

Emma @emmrma — Seguir

Marcos @socram
Cada día estoy más convencido. Para mí el clima y la calidad de vida son inseparables.

Jesús @jesblog
El lugar ideal es el lugar más ecológico porque es el lugar donde podrán vivir nuestros hijos.

Dani @danituit
Un lugar sin historia es un lugar vacío. Y en un lugar vacío no quiero vivir... ni pasar las vacaciones.

Emma @emmrma
No olvidéis que la calidad de vida no la dan las infraestructuras o la seguridad, sino las personas.

Mundo viajero

Vitoria-Gasteiz, en el País Vasco (España), ha creado lo que se conoce como «El Cinturón Verde», una zona verde tras la recuperación de áreas deterioradas. Otra medida que se ha adoptado para hacer la ciudad más ecológica ha sido aumentar los kilómetros de carriles bici, reduciendo de esta forma el tráfico en el centro de la ciudad y promoviendo alternativas al transporte tradicional.
Por otro lado, la ciudad es un ejemplo de cómo hacer frente a la escasez de agua, pues ha conseguido reducir su consumo en la última década. *Jesús*

Adaptado de http://www.mundo-geo.es

Antigua fue declarada en 1979 Patrimonio de la Humanidad por la Unesco. Tiene actualmente unos 30 000 habitantes y está ubicada en el hermoso valle de Panchoy, un tanto aislada, y rodeada por tres majestuosos volcanes. Es probablemente el lugar más visitado y uno de los lugares históricos de Guatemala, aunque increíblemente sigue siendo tranquila y silenciosa. Durante la Semana Santa, sus calles se cubren de alfombras de pétalos de flores que marcan el paso de las procesiones. *Dani*

Adaptado de http://www.guatemalaviajes.com/

Punta Cana es uno de los destinos turísticos más visitados del mundo. La belleza de sus playas, su clima tropical, la amabilidad de sus habitantes y todo lo que rodea a este paradisíaco lugar de la República Dominicana la han convertido en el destino de millones de turistas. Además, se han adoptado medidas eficaces para reducir la inseguridad ciudadana convirtiéndola en una de las ciudades más seguras de la República Dominicana. *Marcos*

Adaptado de http://www.viajarapuntacana.com/

Málaga, en el sur de España, es conocida por su clima y por su situación privilegiada. En esta bella y bulliciosa ciudad podemos disfrutar del mar Mediterráneo, de su famosa gastronomía o de su vida cultural, donde destacan el Museo Picasso, el Museo Carmen Thyssen o el Festival de Cine español.
Sin embargo, lo que más destacan los turistas no es su clima y horas de sol o su gastronomía, sino que es el carácter de su gente y, por tanto, de la ciudad: abierta, acogedora y hospitalaria. *~ Emma*

b. ▸ **Relaciona a partir de la información de los textos.**

3 Vitoria-Gasteiz

2 Antigua

1 Punta Cana

5 Málaga

1. Es una de las ciudades más seguras de su país.
2. Se sitúa en un valle entre altas montañas volcánicas.
3. Ha aumentado la zona de circulación de bicicletas y, por eso, es más sostenible.
4. Es uno de los lugares de Latinoamérica preferidos para los turistas.
5. Presenta una oferta cultural muy interesante que incluye museos y cine.
6. Ha desarrollado una política muy efectiva contra la escasez de agua.

c. ▸ **Clasifica las palabras señaladas en los textos en cualidades positivas o negativas, según tu opinión. Añade más palabras y discútelo con tus compañeros.**

2 **Rellena un cuestionario y aprende la diferencia entre qué y cuál**

▸ **Lee la explicación, subraya la opción correcta y responde a las preguntas.**

QUÉ, CUÁL o CUÁLES

Qué + sustantivo/verbo
Se usa para preguntar por algo entre diferentes categorías.
¿Qué quieres de beber?
¿A qué escuela de español vas?

Cuál/Cuáles + verbo
Se usa para preguntar por algo dentro de una misma categoría.
¿Cuál es tu deporte favorito?
¿Cuáles de estas ciudades prefieres: Madrid, Barcelona, Valencia o Sevilla?

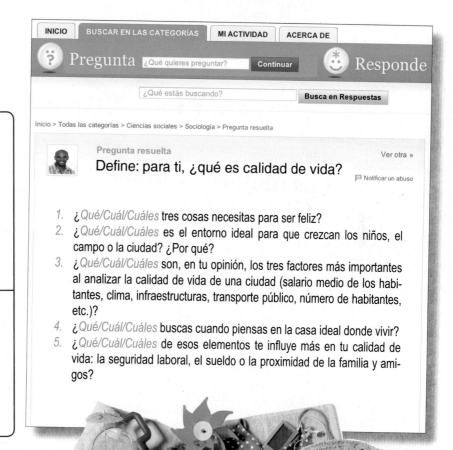

| INICIO | BUSCAR EN LAS CATEGORÍAS | MI ACTIVIDAD | ACERCA DE |

? Pregunta ¿Qué quieres preguntar? Continuar *** Responde**

¿Qué estás buscando? **Busca en Respuestas**

Inicio > Todas las categorías > Ciencias sociales > Sociología > Pregunta resuelta

Pregunta resuelta Ver otra »
Define: para ti, ¿qué es calidad de vida?
🏳 Notificar un abuso

1. ¿*Qué/Cuál/Cuáles* tres cosas necesitas para ser feliz?
2. ¿*Qué/Cuál/Cuáles* es el entorno ideal para que crezcan los niños, el campo o la ciudad? ¿Por qué?
3. ¿*Qué/Cuál/Cuáles* son, en tu opinión, los tres factores más importantes al analizar la calidad de vida de una ciudad (salario medio de los habitantes, clima, infraestructuras, transporte público, número de habitantes, etc.)?
4. ¿*Qué/Cuál/Cuáles* buscas cuando piensas en la casa ideal donde vivir?
5. ¿*Qué/Cuál/Cuáles* de esos elementos te influye más en tu calidad de vida: la seguridad laboral, el sueldo o la proximidad de la familia y amigos?

3 **Interactúa y define**

▸ **Escribe, con tus compañeros, una definición de «calidad de vida».**

Paso 2
Lee y escribe
El lugar ideal para vivir

1 **Comprende un informe sobre las mejores ciudades para vivir**

▸ **Lee estas afirmaciones y di, según tu opinión, si son verdaderas o falsas.**
Después, lee y confirma tus respuestas.

Antes de leer

	V	F
1.	☐	☐
2.	☐	☐
3.	☐	☐
4.	☐	☐
5.	☐	☐

Después de leer

	V	F
1.	☐	☐
2.	☐	☐
3.	☐	☐
4.	☐	☐
5.	☐	☐

1 La calidad del agua es un factor que se tiene en cuenta al analizar las mejores ciudades para vivir.

2 Las mejores ciudades para vivir son grandes ciudades.

3 El nivel educativo de los ciudadanos de las mejores ciudades para vivir es alto.

4 Las mejores ciudades para vivir son seguras.

5 Las mejores ciudades para vivir tienen un buen clima.

El Blog Salmón
Economía y finanzas en su color natural

Busca en Elblogsalmon con Googl | Buscar »

🏠 | ENTORNO | ECONOMÍA | MERCADOS FINANCIEROS | MUNDO LABORAL | SECTORES | MÁS »

NO TE PIERDAS » España   Crisis financiera   Estados Unidos   Deuda   Desempleo

Las mejores ciudades para vivir

Un año más, el *Economist Intelligence Unit* (EIU) nos da su lista de las mejores y peores ciudades para vivir donde, por primera vez en casi una década, la ciudad canadiense de Vancouver no sale en el primer puesto. Este año la ciudad australiana de Melbourne y la austriaca Viena son las dos primeras y Vancouver pasa a la tercera posición.

Como vemos en la lista, las ciudades que mejor puntúan son medianas de países desarrollados con densidad de población relativamente baja. Por eso, predominan ciudades canadienses y australianas en la lista. Para puntuar, el EIU analiza cinco categorías que se valoran como aceptable, tolerable, incómodo, indeseable e intolerable. Las categorías utilizadas son las siguientes:

- Su estabilidad y criminalidad; no solo estabilidad política, sino también la seguridad. Las personas son menos desconfiadas en las ciudades con mayor puntuación.
- La calidad de los servicios sanitarios, incluida la disponibilidad de los necesarios farmacéuticos.
- La calidad de la oferta cultural, incluyendo las instalaciones deportivas y de ocio.
- La calidad del ambiente, incluyendo restricciones religiosas, la censura y la corrupción. Las ciudades mejor posicionadas disfrutan de paisajes incomparables en los alrededores y calles, avenidas y plazas limpias y sin contaminación acústica, carriles para ciclistas…
- La calidad de la educación; disponibilidad de educación de calidad y el nivel educativo en general.
- La calidad de la infraestructura, incluyendo de vivienda, transporte, telecomunicaciones y la calidad del agua. En las ciudades ideales no hay casas prefabricadas en el extrarradio ni un plano desordenado.

No es sorpresa que las mejores ciudades sean de las ricas y no estén en los países subdesarrollados, ya que los criterios en los que se basan los resultados requieren muchos recursos económicos.

Adaptado de elblogsalmon.com

2 Aprende a entender palabras con prefijos y sufijos

a. ▶ Fíjate en las palabras marcadas en el texto e intenta averiguar su significado o la palabra de la que proviene.

Palabra	Significado o palabra origen	Palabra	Significado o palabra origen
densidad		**criminal**idad	
predominan		**seguri**dad	
aceptable		**disponibili**dad	
tolerable		**incompat**ible	
incómodo		**pre**fabricadas	
indeseable		**extra**rradio	
intolerante		**des**ordenado	
estabilidad		**des**confiadas	

b. ▶ Ahora relaciona las partes destacadas en cada palabra con su significado.

□ dese**able**, acept**able**

□ **in**cómodo, **in**tolerable

□ densi**dad**, liber**tad**

subsuelo

□ **extra**rradio

□ **pre**historia, **pre**fabricadas

1. Transforma un verbo en un adjetivo e indican que es posible.
2. Significa lo contrario.
3. Bajo o debajo.
4. Su significado es «más allá de».
5. Se usa para crear nombres abstractos a partir de adjetivos.
6. Su significado es «anterior a».

c. ▶ Sustituye las expresiones en color por una palabra anterior.

a. Esta ciudad es muy poco cómoda para moverse de un sitio a otro, ya que casi no hay transporte público.
b. En Londres los alquileres más baratos se encuentran muy lejos del centro de la ciudad.
c. Antes del periodo de la Historia los hombres eran nómadas y no existían las ciudades.
d. En la parte de debajo del suelo de México se encuentra una gran laguna, ya que la ciudad fue construida sobre ella.
e. No se debería permitir la violencia que hay en muchas capitales del mundo.
f. Muchos barrios actuales están hechos con casas no construidas sobre el lugar, sino realizadas con anterioridad.

3 Describe tu lugar ideal para vivir

▶ De las ciudades que conoces, escoge las que consideras mejor para vivir y prepara un informe (utiliza las palabras compuestas).

Paso 3
Escucha y cuenta
Una decisión importante

1 Comprende las preocupaciones y aprende a expresar cantidades

a. ▸ **Escucha y señala cuál de las conversaciones corresponde a cada situación.**

1. Intentan elegir el mejor sitio donde vivir ahora que han conseguido un nuevo trabajo. ☐ A. ☐ B. ☐ C. ☐ D.

2. Buscan el lugar perfecto donde comprar una casa o un piso tras su boda. ☐ A. ☐ B. ☐ C. ☐ D.

3. Tratan de decidir cuál es el mejor lugar para que crezcan sus hijos: ¿el campo o la ciudad? ☐ A. ☐ B. ☐ C. ☐ D.

4. Comentan cuál es el mejor lugar para abrir un nuevo negocio. ☐ A. ☐ B. ☐ C. ☐ D.

b. ▸ **Escucha de nuevo y responde.**

1. ¿Cuál es la principal duda de la primera pareja al elegir casa?
   a. Que la casa esté lejos del trabajo.
   b. Que la casa sea para toda la vida.
   c. Que la casa esté lejos de los amigos.

2. ¿Qué decisión toma la pareja que piensa abrir una panadería?
   a. Buscar un lugar cerca de la casa.
   b. Buscar el mejor lugar para el negocio.
   c. Buscar un lugar bien comunicado con la casa.

3. ¿Cuál es el problema de comprar una casa junto a la playa?
   a. Que está lejos del trabajo.
   b. Que está lejos del centro.
   c. Que está muy aislada.

4. ¿Qué les gusta y qué no de la casa en el campo para que crezcan sus hijos?
   a. Les gusta el clima y no les gustan las malas comunicaciones por carretera.
   b. Les gusta el aire libre y los animales y no les gusta que está un poco aislada.
   c. Les gusta la naturaleza, pero no que está lejos de los abuelos.

2 Conoce las expresiones de cantidad

a. ▸ **Lee la explicación, escucha de nuevo y subraya la opción adecuada para que estas afirmaciones sean verdaderas.**

1. *Todos/Algunos de/La mayoría de* sus amigos viven en la capital.
2. El día de la boda será *muy/un poco* estresante.
3. Quieren abrir una panadería no *muy/un poco de* normal.
4. El Parque Tecnológico está *un poco/poco* lejos del centro.
5. La granja está *bastante/nada* separada de la ciudad.

EXPRESIONES DE CANTIDAD

++++	**todo/-a (+s)** + *sustantivo*
+++	**la mayoría de** + *sustantivo*
+++	**muy** + *adjetivo/adverbio*
+++	**bastante** + *adjetivo/sustantivo*
++	**algunos/as** + *sustantivo*
++	**un tanto** + *adjetivo*
+	**un poco de** + *sustantivo*
+	**un poco** + *adjetivo*
+	**algo** + *adjetivo*
-	**poco** + *adjetivo*
-	**nada** + *adjetivo*

Gramática

b. ▸ **Completa con una expresión de cantidad según tu opinión y experiencia. ¿Coincides con tus compañeros?**

> Por mi experiencia, las ciudades nórdicas son .... limpias.

> En mi opinión, el clima de las ciudades españolas es .... caluroso.

> Me parece que las personas del norte son .... más abiertas que las del sur.

> Para mí, los museos sobre ciencias naturales son .... interesantes.

> Por lo que yo sé, ... la gente prefiere lugares con playa para sus vacaciones.

3 Debate sobre tus prioridades

▸ **Ordena de más a menos importantes estas decisiones que, antes o después, casi todos tenemos que tomar en nuestra vida. Después, coméntalo con tus compañeros. ¿Coincidís?**

a Tener un hijo.   **b** Decidir el destino de las vacaciones.   **c** Elegir qué estudiar.   **d** Decidir emanciparse.

f Tomar la decisión de dónde vivir.

e Comprarse una casa.   **g** Casarse.   **h** Optar por trabajar o estudiar.

1 Repasa los interrogativos qué, cuál y cuáles

a. ▶ Marca la opción correcta.

1. ¿*Qué/Cuál/Cuáles* quieres? ¿La maleta roja o la verde?
2. ¿*Qué/Cuál/Cuáles* es mejor? ¿Vivir en el campo o en la ciudad?
3. ¿*Qué/Cuál/Cuáles* te llevarías a una isla desierta?
4. ¿*Qué/Cuál/Cuáles* prefieres, la grande o la pequeña?
5. ¿*Qué/Cuál/Cuáles* es tu mejor experiencia en un viaje?
6. ¿*Qué/Cuál/Cuáles* prefieres, el viaje a la India o a Japón?

b. ▶ Formula las preguntas.

1. ¿...? La mía es la negra de piel.
2. ¿...? Yo quiero un batido de chocolate, ¿y tú?
3. ¿...? Yo prefiero este aunque es más caro.
4. ¿...? Estoy terminando de hacer las maletas.
5. ¿...? Los que cuentan historias románticas.
6. ¿...? El rojo que está aparcado delante de la iglesia.

2 Repasa la forma de expresar deseos, gustos y preferencias

▶ Completa.

1. Tengo muchas ganas de (venir, los abuelos) .... a la fiesta de papá.
2. Me entusiasma (leer, yo) .... mientras tomo el sol en la piscina.
3. Odio (hablar, la gente) .... por teléfono mientras conduce, es muy peligroso.
4. Me molesta mucho (el profesor, dar, a nosotros) .... poco tiempo para hacer los ejercicios.
5. Deseamos (pasar, ustedes) .... una buena estancia en nuestro hotel.
6. Mi hermana no soporta (entrar, ella) .... en un ascensor, es claustrofóbica.
7. Me gusta mucho (querer, tu madre) .... preparar la tarta para el cumpleaños.
8. Me han dicho que esperan (llegar, ellos) .... al pueblo antes de las 22:00.

3 Amplía con los exclamativos

▶ ¿Cómo reaccionarías? Marca la opción o las opciones correctas.

1. Tu mejor amigo: «¿Sabes qué? Me ha tocado la lotería».

   ☐ ¡Qué bien! ☐ ¡Qué pena! ☐ ¡Cuánto tiempo! ☐ ¡Qué lejos! ☐ ¡Qué dices! ☐ ¡Qué mal!

2. Tu novia: «¡Mañana vamos a hacer una gran fiesta por mi cumpleaños!».

   ☐ ¡Qué bien! ☐ ¡Qué pena! ☐ ¡Cuánto tiempo! ☐ ¡Qué lejos! ☐ ¡Qué dices! ☐ ¡Qué mal!

3. Tu profesor de español: «Mañana haremos una prueba sobre esta unidad».

   ☐ ¡Qué bien! ☐ ¡Qué pena! ☐ ¡Cuánto tiempo! ☐ ¡Qué lejos! ☐ ¡Qué dices! ☐ ¡Qué mal!

4. Tu madre: «Adivina lo que estoy preparando... ¡Tu plato favorito!».

☐ ¡Qué bien! ☐ ¡Qué pena! ☐ ¡Cuánto tiempo! ☐ ¡Qué lejos! ☐ ¡Qué dices! ☐ ¡Qué mal!

5. Te encuentras a un compañero del colegio al que no ves desde hace años.

☐ ¡Qué bien! ☐ ¡Qué pena! ☐ ¡Cuánto tiempo! ☐ ¡Qué lejos! ☐ ¡Qué dices! ☐ ¡Qué mal!

6. Tu equipo favorito falla un penalti en el último minuto.

☐ ¡Qué bien! ☐ ¡Qué pena! ☐ ¡Cuánto tiempo! ☐ ¡Qué lejos! ☐ ¡Qué dices! ☐ ¡Qué mal!

4 # Repasa los prefijos y los sufijos

a. ▶ **Relaciona los prefijos y sufijos con sus terminaciones correspondientes**

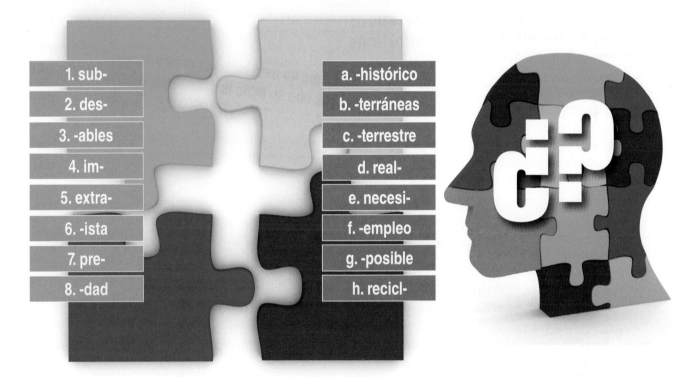

1. sub-	a. -histórico
2. des-	b. -terráneas
3. -ables	c. -terrestre
4. im-	d. real-
5. extra-	e. necesi-
6. -ista	f. -empleo
7. pre-	g. -posible
8. -dad	h. recicl-

b. ▶ **Completa las siguientes frases con las palabras que has creado en el apartado a.**

1. Según el calendario maya, los .... invadirán el mundo en el 2222.
2. La tasa de .... es actualmente muy elevada.
3. Los contenedores .... son muy importantes para que una ciudad sea ecológica de verdad.
4. Hay que ser ...., el mundo no es perfecto, pero tiene sus cosas buenas.
5. Acabar con el hambre en el mundo es difícil, pero no ....
6. Las aguas .... son aquellas que van por debajo de la tierra.
7. Hay una gran .... de espacios verdes en las ciudades actuales.
8. El hombre .... vivía en cuevas y no en grandes ciudades como el hombre moderno.

Conversa

5 Decide cuál es la mejor ciudad para ti para vivir. Antes, prepárate.

a. ▸ **Lee estas noticias y responde a las preguntas propuestas.**

> ● Desde mi punto de vista...
> ● Como yo lo veo...
> ● Por mi experiencia...
> ● Se podría decir que...
> ● No sé cómo lo verás tú, pero yo...

Ciudades medianas, con mar y posibilidades de empleo, las favoritas de los españoles

¿Conoces alguna ciudad que se identifique con la definición del titular?

Ha nacido un nuevo hábito turístico: visitar las ciudades cinematográficas

1. ¿Has hecho algún viaje o has ido a vivir a alguna ciudad que has conocido por una película?
2. ¿Prefieres visitar las grandes ciudades y las más conocidas o descubrir pueblos perdidos poco visitados?

El clima no está incluido dentro de los parámetros con los que se mide la calidad de vida de las ciudades

1. ¿Te sorprende la noticia?
2. ¿En qué aspectos de tu vida influye el clima?

Las ciudades que más nos gustan como turistas no son las ciudades donde nos gustaría vivir

1. ¿Qué tipo de ciudad prefieres para pasar tus vacaciones? ¿Y para vivir?
2. ¿Estás de acuerdo con el titular de la noticia? ¿Por qué?

b. ▸ **Analiza estas ciudades a partir de los aspectos comentados en los titulares de prensa.**

Barcelona

Sevilla

Nueva York

México D.F.

Roma

Londres

París

> Discute con tus compañeros vuestra opinión.

Colabora en salvar nuestro mundo

Paso 1 Lee y escribe	sobre el futuro del planeta.
Paso 2 Comprende e interactúa	acerca del cambio climático.
Paso 3 Escucha y cuenta	una promoción turística.
Paso 4 Repasa y conversa	sobre cómo colaborar para salvar nuestro mundo.

Paso 1 El futuro del planeta
Lee y escribe

1 Lee y conoce el léxico de la energía

▸ **Completa el texto con las palabras del cuadro.**

agua • nucleares • medio ambiente • renovables • petróleo • viento • trabajo • extraer • solar • naturaleza

WIKIPEDIA
La enciclopedia libre

Artículo Discusión

Leer Editar Ver historial

Fuente de energía
(Redirigido desde «Fuentes de energía»)

Portada
Portal de la comunidad
Actualidad
Cambios recientes
Páginas nuevas
Página aleatoria
Ayuda
Donaciones
Notificar un error

▾ Imprimir/exportar
　Crear un libro
　Descargar como PDF
　Versión para imprimir

▸ Herramientas

▾ En otros idiomas
　العربية
　Català

Las fuentes de energía son elaboraciones naturales de las que el ser humano puede .... energía para realizar un determinado .... u obtener alguna utilidad. Hay dos tipos principales de fuentes de energía:

1. Las fuentes limpias o .... son las que reducen el impacto en el .... Por ejemplo, la energía que se extrae del ...., del sol o del ...., es decir, la energía hidráulica, ... y eólica, respectivamente.

2. Las fuentes no renovables se encuentran en la .... en una cantidad limitada y, cuando se consuman en su totalidad, no se podrán sustituir, ya que no hay forma de producirlas. Hay dos tipos: la energía que procede de combustibles fósiles, como el carbón, el .... o el gas natural; y la que procede de combustibles ...., como el uranio o el plutonio.

2 Comprende una noticia sobre el ahorro energético

a. ▸ **Lee el texto y ponle título.**

EL PAÍS
Ciencia

Gracias a la tecnología, hay energías alternativas que nos permiten abandonar el modelo de dependencia del petróleo y del carbón. Sabemos cómo hacerlo, ahora se necesita voluntad política para dar el paso. Pero no podemos dejarlo todo en manos de los políticos: tú y yo, con pequeños gestos, podemos colaborar a mejorar la salud del planeta. Toma nota:

• Si no dejas el calentador encendido, a final de mes habrás ahorrado cerca de 2 euros al día.

• ¿Hacéis la comida en casa en una cocina eléctrica? Apagadla antes de terminar, ya que retiene el calor. De este modo habréis reducido la factura mensual en un 5 %.

• Apaga totalmente la TV, radio, luces, ordenador... si no los estás usando. Si no lo haces, habrás gastado en un día la energía de una semana.

• Usa bombillas de bajo consumo donde estén encendidas mucho tiempo. No las enciendas y apagues continuamente. Con un uso adecuado, al final de mes habrás consumido un 15 % menos de electricidad.

• Si los empleados trabajan junto a una fuente de luz natural, al final de la jornada habrán necesitado casi una hora y media menos de luz eléctrica.

b. ▶ **Localiza y subraya en el texto dónde está esta información.**

1. A final de mes pagarás menos por la luz si aprovechas el calor que da la cocina.
2. Al final del día puedes ahorrar hasta dos euros si controlas el gasto del agua caliente.
3. Aprovecha inteligentemente las bombillas y, así, gastarás menos luz.
4. Si dejas las luces encendidas, gastas en un día lo que necesitas en una semana.
5. Trabaja junto a una ventana para ahorrar energía.

3 Aprende el futuro compuesto

a. ▶ **Observa el cuadro, subraya las formas del futuro compuesto en el texto anterior, completa el cuadro y elige la explicación más adecuada del uso.**

FUTURO COMPUESTO

(yo)	habré		Se usa para presentar una acción:
(tú, vos)	habrás		a. futura posterior a otra futura.
(él, ella, usted)	habrá	**+** participio	b. futura posterior a otra pasada.
(nosotros/as)	habremos		c. futura anterior a otra también futura.
(vosotros/as)	habréis		
(ellos, ellas, ustedes)	habrán		

b. ▶ **Completa.**

1. Si continúa la investigación, en 50 años el hombre (encontrar) .... la forma de consumir solo energías limpias.
2. Pensamos que dentro de 20 años (conseguir) .... que toda la energía necesaria venga del sol y del viento.
3. Si los gobiernos no actúan, el próximo siglo (aumentar) .... la temperatura casi un grado.
4. Greenpeace dice que, si no se baja el ritmo de pesca, cientos de especies (desaparecer) .... en 2035.
5. Hay que luchar... así, al menos, en el futuro sabremos que nosotros
   (hacer) .... todo lo posible por dejar un mundo mejor a nuestros hijos.

4 Reflexiona sobre el futuro del planeta

▶ **Escribe un breve texto expresando tu opinión sobre el futuro de nuestro planeta. Puedes empezar a partir de estas ideas.**

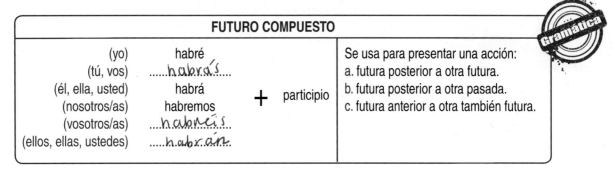

Si no ahorramos energía, cuando pasen 50 años...

Con el ritmo actual de contaminación, dentro de 100 años los bosques...

El aumento de la temperatura significa que, en un siglo, el agua...

Con esta situación, en los próximos años, el hombre...

Si no ahorramos energía, cuando pasen 50 años...

Si no hacemos nada, en unos años, muchas islas...

Paso 2
Comprende e interactúa
El cambio climático

1 Comprende una conferencia sobre el cambio climático

 ▸ **Escucha este fragmento de una conferencia sobre el cambio climático, elige el titular más adecuado y di si las siguientes afirmaciones son verdaderas o falsas.**

1 Cambio climático: ¿mito o realidad?

2 El cambio climático: datos dentro, ideologías fuera

3 El indudable calentamiento global y sus previsibles consecuencias

	V	F
1. Las temperaturas más altas se produjeron en abril y en mayo.		☒
2. Las temperaturas continuarán bajando.	☑	
3. Hay dos hipótesis sobre las causas del cambio climático: unos piensan que se deberá a la acción del hombre; otros, que será una etapa natural del desarrollo de La Tierra.	☑	
4. El próximo año, las temperaturas podrían llegar hasta los 50 grados.	☑	
5. Jeremías Lengoasa asegura que el cambio climático no está demostrado totalmente.		☒

2 Aprende a hablar de acontecimientos reales y probables

a. ▸ **Completa el esquema con las afirmaciones de la actividad anterior.**

Gramática

	Realidad Hechos ocurridos, habituales o planeados	Probabilidad Hipótesis, suposiciones o predicciones
Presente	**Presente**	**Futuro imperfecto** ....
Pasado	**Pretérito perfecto compuesto** *La temperatura ha aumentado 0,5°C en los últimos 50 años.*	**Futuro perfecto** *En el calentamiento global, habrá influido la acción del hombre, ¿no creen?*
	Pretérito perfecto simple e imperfecto	**Condicional** *En los siglos pasados, no habría tanto aumento de la temperatura porque había menos contaminación.*
Futuro	**Futuro**	**Condicional** ....

b. ▸ Reacciona planteando hipótesis a los siguientes titulares de prensa.

> Cambio climático, cambia el turismo

> Los efectos del calentamiento global están comenzando a hacerse visibles: la isla Lohachara, cercana a la India, ha desaparecido

> El árbol de Navidad natural ayuda a combatir el cambio climático

3 Amplía el vocabulario del clima y haz hipótesis

▸ Lee y completa con las palabras señaladas.

México

En México cada vez llueve menos y con menos intensidad. Los inviernos son menos fríos, pero las tormentas son más duras: con lluvia, mucho viento, frío... y con granizo muy grande, es decir, bolas de hielo como pelotas de béisbol.
En primavera y en verano, hay frecuentes olas de calor, con temperaturas altísimas de golpe. El riesgo de huracanes, esos vientos tan fuertes y destructivos, es muy alto en las estaciones secas del año. Además, cada vez son más frecuentes los cambios de tiempo en un mismo día: sale el sol por la mañana temprano, luego se nubla, llueve, vuelve a salir el sol y se despeja el día, se vuelve a nublar, bajan las temperaturas a media tarde... ¡una locura! No entiendo a los que dicen que el cambio climático es un invento de los grupos ecologistas.

1. El .... se ha convertido en algunos puntos en grandes trozos de hielo.
2. Durante el verano .... a las 6:30 de la mañana.
3. Se espera una fuerte .... este fin de semana, con temperaturas que pueden llegar a los 46 ºC en el interior.
4. Ayer estuvo despejado toda la mañana. A mediodía .... y llovió un poco al final de la tarde.
5. El .... Daisy pasó ayer junto a la costa sur de la isla y destruyó casas y coches.
6. La .... eléctrica vendrá acompañada de fuertes vientos y lluvia constante.

b. ▸ ¿Has notado diferencias en el clima de tu ciudad en los últimos años? ¿Puedes explicar esos cambios?

> Antes no había tantos coches ni tantas fábricas, por eso había menos contaminación y el clima era más normal... últimamente el clima es mucho más seco. Por ejemplo, este año habrá llovido solo 15 o 20 días en total.

4 Interactúa e imagina el futuro

▸ ¿Cómo crees que puede influir el cambio climático en nuestra vida cotidiana? Discute con tus compañeros cómo se pueden ver afectados estos ámbitos de tu vida.

En la ropa que usamos

En los medios de transporte que usamos

En los destinos de nuestras vacaciones

Otros: ....

Paso 3
Escucha y cuenta
Una promoción turística

1 Escucha y conoce un lugar turístico respetuoso con el entorno

a. ▸ **Escucha y marca si las siguientes frases son verdaderas o falsas.**

	V	F
1. Costa Rica es un país líder en el turismo rural y de aventura.	✓	
2. Los países de la zona, que competían por atraerse el turismo regional, apostaron por adaptar el entorno a las demandas del turismo.		✗
3. Costa Rica apostó por el turismo artificial.	✓	✗
4. Las acciones costarricenses consintieron en no cambiar el entorno.	✓	
5. Ya es muy conocida la oferta turística costarricense, no es necesario hacer promoción.		✗

b. ▸ **Ordena la siguiente exposición y di un título.**

Tras este análisis, al debatir el futuro de esa actividad, no podemos olvidar la competencia de otros destinos contra la que tuvo que luchar.

Por otro lado, mientras esto ocurría, Costa Rica siguió el «modelo enfocado en la oferta», que desarrolla destinos turísticos reales, sin alterar la naturaleza. De esta manera, cuando el turista se encuentre en estos sitios, se dará cuenta de que está realmente en un contexto donde la naturaleza, la cultura y la sociedad conviven.

Por eso, la cuestión del futuro del turismo costarricense es saber de qué manera se puede preservar el modelo actual y continuar promocionándolo, desarrollándolo y perfeccionándolo hasta que sea sostenible y rentable.

Para empezar, y antes de hablar del futuro, conviene saber que el turismo es un factor clave en el desarrollo económico y social de Costa Rica, líder internacional en ecoturismo, y que hace veinte años hubo dos opciones de desarrollo:

Por un lado, hubo países como Argentina, Brasil o México que aplicaron el «modelo enfocado en la demanda» del futuro turista y, por tanto, modificando sustancialmente el medio natural. En estos casos el destino se volvió un destino turístico artificial.

En resumen, tan pronto como se estabilice la oferta ecoturística, habrá que darla a conocer.

OFICINA DE TURISMO

c. ▸ **Resume con tus propias palabras la información esencial del texto a partir de estos datos.**

a. Foco en la demanda/destinos artificiales

b. Últimos diez años/país número uno en el mundo

c. Foco en la oferta/destinos sostenibles

d. Modelo actual/nuevos tipos de turismo

2 Aprende las oraciones temporales

a. ▶ **Busca en el texto anterior ejemplos para completar la explicación.**

Gramática

Marcador temporal	Significado	Estructura	Ejemplo
Cuando	Marcador general: posterioridad, simultaneidad...	+ indicativo (presente y pasado) + subjuntivo (futuro)	
En cuanto *Tan pronto como*	Rapidez, inmediatez	+ indicativo (presente y pasado) + subjuntivo (futuro)	
Antes de *Después de*	Anterioridad Posterioridad	+ sustantivo + infinitivo (el mismo sujeto) + *que* + subjuntivo (sujetos diferentes)	*Después de la inversión hotelera, la zona cambió muchísimo.*
Mientras	Simultaneidad	+ indicativo (presente y pasado) + subjuntivo (futuro)	
Hasta que	Límite	+ indicativo (presente y pasado) + subjuntivo (futuro)	*Hasta que llegaron las primeras inversiones, la gente no creía en el proyecto.*

b. ▶ **Completa.**

1. Ayer, cuando (llegar, tú) ...*llegas*..., la cena ya estaba hecha, así que hoy te toca a ti.
2. La tormenta empezó en cuanto (salir) ...*salimos*... del hotel, ¡qué mala suerte tuvimos!
3. No podremos hablar de éxito hasta que (tener, nosotros) ...*tengamos*... un mínimo de clientes.
4. Antes de que el ayuntamiento (hacer) ...*haga*... la promoción turística es necesario mejorar las carreteras.
5. Tan pronto como (terminar, ellos) ...*terminaron*... la reunión, se fueron al aeropuerto.
6. Mientras (vivir, yo) .... aquí, estáis invitados a venir a visitarme, ¿vale? Cuando (querer, vosotros) ...., seréis bienvenidos.

3 Haz una promoción turística

▶ **Elige una de estas opciones y haz una promoción como la del ecoturismo de Costa Rica.**

- Hacer un viaje solidario
- Dar la vuelta al mundo
- Hacer turismo rural
- Hacer un crucero
- Viajar para aprender idiomas
- Hacer turismo responsable
- Turismo de sol y playa en un hotel de lujo

Paso 4
Repasa y conversa
Colabora en salvar el mundo

1 **Repasa y amplía** el vocabulario de las energías

▸ **Relaciona.**

1. Energía solar
2. Energía de combustibles fósiles
3. Energía hidráulica
4. Energía eólica
5. Energía nuclear

a. Gas, petróleo, carbón
b. Átomo
c. Agua
d. Viento
e. Sol

2 **Repasa** el futuro compuesto, el futuro simple y el condicional

a. ▸ **Subraya la forma verbal correcta.**

1. Seguramente hoy a las ocho de la tarde Juana ya *habrá salido/saldrá* del trabajo.
2. Luis, la conferencia sobre el cambio climático ya *comenzará/habrá comenzado* cuando tú llegues.
3. Lola, en cuanto llegues, *habré hecho/haré* la tortilla de patatas.
4. El tren con destino a Madrid *habrá llegado/llegará* a las nueve en punto.
5. Juan, seguramente, cuando vuelvas de hacer la compra, *habré terminado/terminaré* de limpiar.
6. María, podemos quedar con Carlos, porque a las 23:30 el partido de fútbol *habrá terminado/terminará*.

b. ▸ **Escucha y plantea hipótesis sobre lo que crees que ha ocurrido en cada situación.**

Situación 1	*Se te olvidaría cerrar la puerta.*
Situación 2	
Situación 3	
Situación 4	
Situación 5	
Situación 6	

3 **Repasa y amplía** el vocabulario del clima

a. ▸ **Relaciona los siguientes términos con el dibujo correspondiente.**

1. lluvia
2. granizo
3. ola de frío
4. huracán
5. tormenta
6. nieve
7. nublado
8. ola de calor
9. soleado
10. viento

b. ▸ **Elige la opción adecuada.**

1. [_____] mucho viento. La velocidad del viento puede alcanzar los 120 km/h.
   a. Hay
   b. Está
   c. Hace
   d. Cae

2. [_____] una ola de calor en Sevilla. Los termómetros han alcanzado los 40°.
   a. Hay
   b. Está
   c. Hace
   d. Cae

3. [_____] nublado. No se ve el sol desde ayer.
   a. Hay
   b. Está
   c. Hace
   d. Cae

4. [_____] mucho granizo, así que es mejor que esperes un poco antes de salir a la calle.
   a. Hay
   b. Está
   c. Hace
   d. Cae

5. [_____] una ola de frío. Los termómetros han bajado hasta los -30°.
   a. Hay
   b. Está
   c. Hace
   d. Cae

4 Repasa las temporales

▸ **Completa con los siguientes verbos en la forma correcta.**

| ser - acceder - comprender - empezar - acabarse - bajar - llegar - poner |

1. Cuando .... el invierno, aumenta el gasto de energía para la luz y la calefacción.
2. Tan pronto como todos nosotros .... que podemos influir con pequeñas acciones a la conservación del planeta, todo irá mucho mejor.
3. Los activistas de Greenpeace fueron detenidos nada más .... la manifestación.
4. Hay que hacer algo antes de que .... demasiado tarde.
5. Mientras .... al salón de actos todos los participantes de la conferencia sobre el cambio climático, se proyectaron unas imágenes de la selva amazónica.
6. Los gobiernos seguirán con su misma política hasta que .... el petróleo. Entonces, habrá un gran cambio global.
7. En cuanto .... multas por no reciclar, la gente empezará a hacerlo. No aprendemos si no nos afecta al bolsillo.
8. Pusieron normas estrictas sobre el consumo de agua cuando las lluvias .... casi un 30 % en dos años.

5 Colabora en salvar nuestro mundo y planifica medidas para conseguirlo. Antes, prepárate.

a. ▷ Lee estas 10 propuestas y piensa si te parecen medidas fácilmente aplicables y prácticas o no. ¿Por qué?

10 medidas para evitar el calentamiento global

1. Transporte. Reducir el individual y promocionar los medios colectivos.

2. Impuestos. Permitir que se asignen para la conservación de recursos.

3. Residuos. Favorecer la separación de basuras y el reciclaje.

4. Materiales. Reutilizarlos siempre que se pueda (papel, juguetes, herramientas, muebles...) y evitar usar bolsas, cajas y embalajes.

5. Energía doméstica. Apagar los aparatos completamente (y no dejarlos en modo *stand by*) y apagar las luces al salir de las habitaciones.

6. Especies. No trasladarlas fuera de su lugar de origen.

7. Naturaleza. Respetar los espacios protegidos y minimizar el impacto en zonas naturales.

8. Educación. Educar a los niños en el valor de los bienes que nos ofrecen los ecosistemas.

9. Agua. Reducir su consumo colocando, por ejemplo, botellas en las cisternas o no malgastándola en piscinas.

10. Energías alternativas. Darles más valor y estar dispuestos a financiarlas. Si todos las apoyamos, serán rentables, aunque sean más caras.

b. ▷ ¿Cuáles de ellas forman parte de tus hábitos? ¿Qué otras medidas o ejemplos se te ocurren para evitar que se agrave el calentamiento global?

- Me parece viable/inviable... porque...
- Es fácil/difícil..., ya que...
- Por suerte, esto...
- Lamentablemente, esta medida...
- Otra opción es...
- Una alternativa podría ser...
- Es más trabajo, pero a la larga...
- Puede ser más caro, pero con el tiempo...
- No sé yo si estoy dispuesto a este sacrificio, es que...

Discute con tus compañeros vuestra opinión.

Opina sobre el futuro del cine

Paso 1 Lee y escribe	sobre la situación del cine.
Paso 2 Escucha y cuenta	una crítica de una película.
Paso 3 Comprende e interactúa	para elegir una película.
Paso 4 Repasa y conversa	acerca del futuro de las salas de cine.

1 Aprende el vocabulario del cine

a. ▶ **Lee el texto y relaciona las palabras marcadas con estas explicaciones.**

- Los filmes.
- Billete que sirve para entrar a un espectáculo (concierto, evento deportivo, película, teatro, etc.).
- Páginas de un periódico donde se anuncian las películas que se pueden ver en la ciudad.
- Proyectarse por primera vez una película.
- Lugar donde se venden las entradas en un estadio, en un teatro o en un cine.
- Personas que asisten a un espectáculo.
- Lugar donde se proyectan las películas.
- Películas producidas en el propio país.

Público.es

16/05/2013 - 11:10h

Iniciar sesión
Regístrate

Google™ Búsqueda perso | BUSCAR

Portada | Opinión | Internacional | Política | Actualidad | España | Dinero | Ciencias | **Culturas** | Deportes | Motor | Multimedia | Servicios | Vivienda | **Andalucía**

Libros | Cine | Música | Videojuegos | Cartelera Cine | Con la música a otra parte

Cae la asistencia en las salas de cine españolas

Los datos provisionales del Observatorio Audiovisual Europeo también señalan el aumento de consumo de cine español

PÚBLICO.ES/EFE | Francia | 09/02/2012 15:40 | Actualizado: 09/02/2012 16:45

Me gusta 44

10 Comentarios ★★★★★ Media: 3.75 | Votos: 8

LO MÁS...

VIRAL | LEÍDO | VALORADO | COMENTADO

1. TVE explica cómo vestir a las hijas con decoro para que no provoquen
2. Punto de Fisión » Regreso al pasado
3. Una parlamentaria del PP valenciano se pregunta si la cifra de parados es el número del Gordo de Navidad
4. 'Nos gobiernan antipatriotas que odian España y su cultura y solo quieren destruirla'
5. El humor en tiempos de cólera

«No pensamos que haya sido una sorpresa para nadie la noticia del descenso, en un 7,1 %, de la asistencia de los españoles a las **salas de cine**», afirman desde el Observatorio Audiovisual Europeo. Sin embargo, sí es sorprendente que haya aumentado la presencia de **películas** españolas de **estreno** en nuestras **carteleras**, pasando de un 12,7 % el año pasado al 15,7 % de este año. Esta bajada no es porque las películas estrenadas hayan sido malas, sino porque ha habido muchas ofertas alternativas a las salas de cine. Pero este descenso no es cosa de España únicamente, sino de toda la Unión Europea. La República Checa (-20,3 %), Eslovaquia (-10,4 %) e Italia (-7,9 %) son los países con mayor descenso en la venta de **entradas**. En el sector cinematográfico europeo no ha sentado bien que hayan pasado por **taquilla** más de 4 millones de personas menos en los últimos doce meses.

No es difícil adivinar que Francia haya vuelto a ocupar este año el primer puesto en la lista de países más cinéfilos de Europa (con un aumento del 4,2 % de **espectadores**) o que sus películas nacionales hayan conseguido representar el 41,6 % de la cuota de pantalla, es decir, 4 de cada 10 películas que ven los franceses son de **producción nacional**.

Sobre este último punto, entre los países donde la cuota de pantalla de filmes nacionales es más importante, tras Francia, se sitúan Italia (con el 37,5 % de las películas), Reino Unido (36,2 %) y Polonia (30,4 %).

Adaptado de publico.es

b. ▶ **¿Qué afirmaciones corresponden a lo que dice el texto?**

1. La disminución de venta de entradas para ir al cine es un problema exclusivo de España. ☒

2. Ha aumentado el porcentaje de películas nacionales en cartelera, pero ha descendido el número de espectadores. ☑

3. República Checa, Eslovaquia e Italia son los países con mayor aumento de ventas de entradas. ☒

4. Francia es el país donde más se ha incrementado la asistencia de público a las salas de cine. ☑

5. Francia e Italia son los países europeos donde hay un mayor porcentaje de películas nacionales en cartelera. ☑

2 Conoce el pretérito perfecto de subjuntivo

a. ▸ Reflexiona, completa y busca en el texto ejemplos para ilustrar la explicación.

PRETÉRITO PERFECTO DE SUBJUNTIVO	
(yo)	haya
(tú, vos)	hayas
(él, ella, usted)	haya
(nosotros/as)	hayamos
(vosotros/as)	hayáis
(ellos, ellas, ustedes)	hayan

+ participio

Formación
El pretérito perfecto de subjuntivo se forma con el .... del verbo *haber* más el participio del verbo principal.

Significado y uso
Se usa en los mismos casos que el presente de ...., pero en el contexto temporal del pretérito ....

Ejemplos
1. *No pensamos que haya sido una sorpresa.*
2. ....
3. ....

b. ▸ Completa estas opiniones con el verbo en pretérito perfecto de subjuntivo.

No creemos que el descenso se (deber) .... a la baja calidad de las películas.

Parece mentira que (descender) .... la venta de forma tan radical en solo un año.

Espero que el Gobierno (aprender) .... y que el año que viene mejoren los datos.

No creo que las películas españolas de este año (ser) .... peores que las de otros, es solo una cuestión comercial.

Ojalá el Ministerio de Cultura (tomar) .... buenas decisiones para la industria del cine en la reunión de esta mañana.

Posiblemente las descargas ilegales de películas de Internet (influir) .... en que haya menos asistencia a las salas de cine.

3 Escribe sobre las causas del descenso de espectadores

a. ▸ Localiza estos recursos en el texto de entrada y completa con ellos esta explicación.

Recursos
No es porque..., sino porque...
Pero...
Sin embargo...
Sino...

Ha bajado el número de espectadores en los cines españoles, ..pero........... .... ha habido más estrenos. ..Sin embargo...., no es solo cosa de España, ...Sino.......... de toda la Unión Europea. La bajada de venta de entradas ..no..es..porque. hayan subido los precios, sino...porque........ hay una competencia grande de la televisión y las descargas de Internet.

b. ▸ Lee estas posibles causas del descenso de público en los cines de Europa y escribe un texto en el que expongas una opinión contraria a estos argumentos y aportes nuevas ideas.

El descenso de espectadores se ha debido al aumento del precio de las entradas.

Hay menos público en las salas de cine porque la gente descarga ilegalmente películas de Internet.

Va menos gente al cine porque ha bajado la calidad de las películas.

La oferta de películas de estreno ha aumentado en los videoclubs.

Las personas asisten menos al cine porque pueden ver las películas *on-line* por menos dinero.

Paso 2
Escucha y cuenta
Una crítica de una película

1 Infórmate sobre películas

a. ▶ Escucha e identifica.

2 Sinopsis   3 Tráiler   1 Crítica cinematográfica

b. ▶ Escucha de nuevo y di a qué película corresponde cada afirmación.

	Pan negro	No habrá paz para los malvados	La piel que habito
La película está dirigida por Pedro Almodóvar.	☐	☐	☒
La historia se desarrolla durante la Guerra Civil.	☐	☐	☒
Es una película policiaca que ocurre en la capital de España.	☐	☒	☐
Hay una investigación de un asesinato.	☐	☒	☐
En la película actúa un niño.	☒	☐	☐
El idioma de la película es el catalán.	☒	☐	☐

2 Amplía el léxico del cine y aprende a hacer una crítica

a. ▶ Completa el mapa con las palabras y expresiones del cuadro.

Largometraje • Productor • Banda sonora • Actor principal • No apta para menores de 18 años • Guionista • Rodar • Actor secundario • Guion

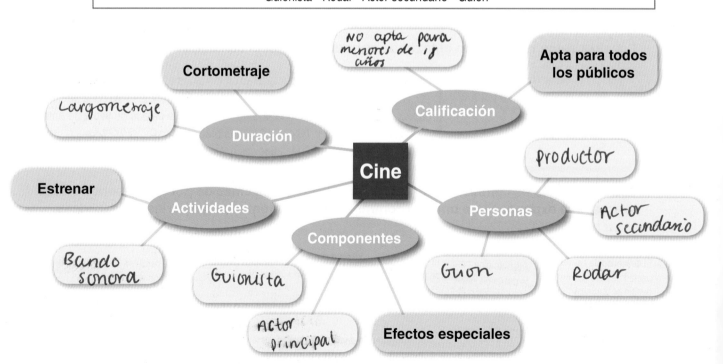

b. ▸ **Completa estos fragmentos de críticas cinematográficas con las palabras y expresiones de la actividad anterior.**

La película cuenta con una .... magnífica, con canciones interpretadas por algunos de los grupos de *rock* más populares actualmente. También hay que destacar los espectaculares .... hechos por ordenador.

Lo mejor de esta película no es el ...., ya que es una historia bastante simple, sino la labor del actor .... y de los actores ....

La película se va a .... en Navidad, fecha en la que los niños están de vacaciones. Por supuesto, tiene calificación de ....

c. ▸ **¿Cuál de las tres películas te gustaría ver? ¿Por qué?**

3 **Distingue el presente y el perfecto de subjuntivo**

▸ **Lee la explicación y completa estos fragmentos de críticas cinematográficas con presente o pretérito perfecto de subjuntivo.**

1. La película, rodada en catalán, probablemente (ser) .... la gran sorpresa del festival que ha concluido hoy domingo.

2. Almodóvar necesita un director de *marketing* que (desarrollar) .... su promoción en EE. UU.

3. Nunca he visto a un actor que (conseguir) .... identificarse tanto con su personaje como lo ha hecho con Santos Trinidad, el inspector de policía al que interpreta.

4. No es que Pedro Almodóvar (hacer) .... una película de terror, sino que ha hecho un homenaje a uno de los clásicos del género, Frankenstein.

5. Es natural que el éxito de la película le (abrir) .... las puertas de los grandes festivales que tendrán lugar a partir de ahora.

6. Esperamos que (tener) .... suerte en los Premios Goya tanto el director como los actores.

Gramática

¡RECUERDA!
En las estructuras que rigen subjuntivo (opinión negativa, valoración, probabilidad, deseo...), usamos el presente de subjuntivo para referirnos al presente o al futuro y el pretérito perfecto de subjuntivo para referirnos a acciones ya realizadas.

4 **Cuenta una crítica cinematográfica**

▸ **Elige un caso y cuéntalo a tus compañeros.**

La peor película que he visto en mi vida.

Una película que he visto muchas veces y nunca me canso de verla.

La primera película que vi en el cine.

1 **Expresa tus gustos y hábitos sobre el cine**

a. ▶ **¿Con cuál de las siguientes opiniones estás más de acuerdo?**

> Yo normalmente no voy a ver estrenos. Hay que hacer cola para comprar la entrada porque siempre hay mucha gente, buscar al acomodador para que te lleve a tu butaca... prefiero esperar unas semanas y alquilar la película para verla en casa tranquilamente.

> Para elegir qué película ver en el cine me gusta leer críticas. Tengo que conocer a los actores y al director y tener una idea del argumento. ¡Ah! Y si es una película basada en un libro, tengo que leerlo antes de ver la peli.

> Prefiero la televisión al cine. Es mejor para entretenerse porque me gusta comentar lo que pasa en las películas mientras las veo y en la sala de cine no se puede.

> A mí me encanta el cine. Siempre intento ir a los estrenos y, además, todas las semanas voy el día del espectador porque es más barato. Siempre lo paso en grande... es mi afición favorita.

b. ▶ **Completa los diálogos con las palabras señaladas.**

En la taquilla

● ¿De qué va esta película?

○ He leído una .... y es una historia de amor.

● Es una historia real.

○ No, no. Es una adaptación. Está .... de un escritor argentino.

En el coche

● ¡Cuánta gente hay en el aparcamiento! Vamos a llegar tarde.

○ Si quieres, me bajo ahora y me pongo en la ....taquilla.... para comprar las entradas.

● Vale, buena idea. Nos vemos en la taquilla.

En la sala

● Macarena, tú tienes las entradas, ¿qué .... tenemos?

○ Fila 12, asientos 7, 8 y 9.

● ¡Esta sala es enorme! Vamos a buscar al .... para que nos ayude.

En casa

El miércoles me fui al cine con los niños. Estábamos en casa y pensé: «¿Cómo podrán .... esta tarde que está lloviendo?». Y recordé que era miércoles, el ...., y las entradas estaban al 50 % y lo ....

2 Conoce algunos éxitos del cine hispano y profundiza en el uso de indicativo y subjuntivo

a. ▸ Completa estas noticias con presente (de indicativo o de subjuntivo) o pretérito perfecto (de indicativo o de subjuntivo) y conoce algo más del cine latinoamericano.

1. Jorge Drexler (ganar) .... el Óscar a la mejor canción por *Al otro lado del río*. Es la primera vez que una canción en español (conseguir) .... la estatuilla en esta categoría y no porque no (haber) .... canciones de calidad antes.

2. *El laberinto del fauno* (conquistar) .... tres premios Óscar de los seis a los que estaba nominada. No creo que (ser) .... la mejor película extranjera del año, pero sí (saber) .... combinar con maestría dos géneros tan diferentes como el fantástico y el histórico.

3. *El secreto de sus ojos* (convertirse) .... en la segunda película producida en América Latina que se lleva la estatuilla como mejor película extranjera. Es increíble que solo (poder) .... ganar este premio dos filmes en todos estos años... esperamos que, en años sucesivos, el cine latinoamericano (subir) .... al escenario a recoger nuevos galardones.

4. Benicio del Toro (ganar) .... el Óscar como mejor actor de reparto en 2001 por su participación en *Traffic*. El actor portorriqueño ha afirmado recientemente que ganar ese premio le (permitir) .... llevar a cabo proyectos como *Che*, una biografía del guerrillero argentino Ernesto Guevara.

b. ▸ ¿Qué sabes del cine de tu país o del cine en tu lengua? Cuéntaselo a tus compañeros.

 Películas    Actores    Directores    Premios

3 Elige la película adecuada

▸ Elige una situación y di cuál es la película ideal para ese caso. Recomiéndala a tus compañeros: por qué te gusta, cuál es su argumento, etc.

Para una noche romántica con tu pareja

Una tarde lluviosa con los más pequeños de la casa

La película que he visto mil veces y nunca me canso de ella

Paso 4
Repasa y conversa
Sobre el cine

1 Repasa y amplía el pretérito perfecto de subjuntivo

a. ▸ Transforma oralmente, según el modelo.

1. Han llegado tarde al cine. || No creo que... *hayan llegado tarde al cine.*
2. Mañana a esta hora habrán dado ya el premio al mejor actor. || Es probable que...
3. Ya hemos recibido las invitaciones para el festival. || Ojalá...
4. Este actor ha trabajado con los directores más importantes. || Buscamos un actor que...
5. Ha ganado el premio a la mejor fotografía. || Es increíble que...
6. No han podido ver la película porque se han confundido de sala. || Se han equivocado de sala, de ahí que...

b. ▸ Completa con presente o pretérito perfecto de subjuntivo.

1. ¡Qué extraño que no (llegar) .... los actores al teatro todavía! La gente los esperaba a las 21:00 y ya son las 21:20.
2. Puede que Ricardo Darín (volver) .... a actuar con Juan José Campanella en su próxima película.
3. Todavía no sabemos a qué hora será la rueda de prensa de Pedro Almodóvar, pero les informaremos en cuanto (saber) .... algo.
4. Las películas ganadoras se volverán a proyectar en los cines más importantes del país, de ahí que (poder) .... disfrutar de nuevo de las mejores películas del año a partir del próximo viernes.
5. No creo que (ver) .... esa película todavía. Se ha estrenado hace poco y creo que les va a gustar a los chicos.
6. Es muy importante que el Ministerio de Cultura (dar) .... más subvenciones a los jóvenes directores para que (realizar) .... sus proyectos.

c. ▸ Subraya la opción adecuada.

1. Creo que *han dicho/hayan dicho* que el estreno de la película es el viernes 30 de mayo.
2. Me parece increíble que no *ha conseguido/haya conseguido* el premio Javier Bardem.
3. Cuando *terminará/haya terminado* el festival, viajarán a Estados Unidos a hacer la promoción de la película.
4. El jurado ha visto esta mañana la película, pero no parece que les *ha gustado/haya gustado* mucho.
5. La novela es impresionante, realmente impactante... por eso Juan Antonio y yo *hemos decidido/hayamos decidido* hacer una adaptación al cine.
6. El domingo por la noche es la ceremonia de entrega de los premios. Esperamos que no *habrá/haya* muchas sorpresas y nuestros representantes *ganarán/ganen* algún premio.

2 Repasa y amplía el vocabulario de los géneros cinematográficos

a. ▸ Asocia los géneros con los carteles de las películas.

Del oeste ....

De miedo o terror ....

De ciencia ficción ....

Drama ....

Comedia ....

De amor o romántica ....

Policiaca ....

Musical ....

De animación ....

Histórica ....

b. ▸ **Completa la ficha técnica de esta película con las palabras del cuadro.**

Duración • Género • Título • Actores • País • Producción • Calificación • Fecha de estreno • Idioma • Director

......................: **EL SECRETO DE SUS OJOS**

Valoración: ★★★★

......................: Juan José Campanella

......................: Argentina

......................: Español

......................: 13 agosto 2009

......................: 127 minutos

......................: *Thriller*

......................: No recomendada para menores de 18 años

......................: Ricardo Darín, Soledad Villamil, Guillermo Fran-
cella, José Luis Gioia

......................: Tornasol Films, 100 Bares, Haddock Films

c. ▸ **Escucha, señala a qué película corresponde cada sinopsis y di si las afirmaciones son verdaderas o falsas.**

	V	F
1. *Tadeo Jones* es un cortometraje de animación peruano sobre un arqueólogo que defiende la Ciudad Perdida de los incas.		
2. *Un cuento chino* trata sobre los problemas de comunicación y los choques culturales.		
3. En *Un cuento chino*, un taxista argentino, de Buenos Aires, se pierde en China y ahí comienzan las aventuras.		
4. *Celda 211* cuenta la historia de un chico que está preso y tiene un sueño.		

Conversa

3 **¿Qué opinas sobre el futuro del cine? ¿Sobrevivirán las salas de cine? ¿Ya solo veremos películas en nuestros dispositivos electrónicos? Expresa tu opinión.**

a. ▶ **Antes, lee este texto y responde a las preguntas.**

La Voz de Galicia.es · Edición en Castellano

Portada ▾ · Vida digital

Temas ▸ · Cumbre de la UE · Julio Fernández Gayoso · Copago farmacéutico · Emigración · «Disculpen, soy feliz» · Eurocopa

ÚTIL · 15

VIDA DIGITAL

Google presenta su videoclub virtual

Google ha presentado en España su videoclub virtual, que permite a los internautas alquilar películas desde la web, las tabletas o los dispositivos móviles, según informa en su página web. Este servicio ya estaba disponible en otros países como Francia, EE. UU. o Canadá.

Los usuarios podrán encontrar en Google Play Movies multitud de largometrajes producidos por los principales estudios españoles y estadounidenses, tanto estrenos recientes, cintas premiadas o grandes clásicos. Además, se habilitará una sección de cortometrajes (filmes de menos de 30 minutos) a menor precio. Para ello, Google Play se ha asociado con estudios independientes españoles como Aurum, Filmin y Vértice

360, y otros internacionales como Disney, NBC Universal, Paramount Pictures y Sony Pictures Home Entertainment.

El precio de los estrenos de Google Play Movies es de 3,99 euros para visión en definición estándar y 4,99 euros para alta definición mientras que los títulos de filmoteca de este videoclub virtual cuestan 1,99 euros y 2,99 euros respectivamente.

Para la mayoría de las películas disponibles en el nuevo videoclub, los espectadores tendrán un plazo de 30 días para comenzar a verlas y, al hacerlo, los filmes de Google Play Movies deberán verse en un plazo máximo de 48 horas.

Adaptado de lavozdegalicia.es

1. ¿Has utilizado este servicio u otro similar de alquiler de películas *on-line*?

2. ¿Qué ventajas e inconvenientes piensas que tiene este servicio?

3. ¿Crees que este tipo de proyecto puede ayudar a que haya menos piratería en Internet?

4. ¿Consideras que Google Play Movies u otras páginas similares pueden afectar a la asistencia de espectadores a las salas de cine?

5. ¿En qué medida piensas que puede afectar a la industria del cine?

PARA OPINAR
- A mi modo de ver...
- Según yo lo veo...
- La pregunta me hace pensar en que...

PARA HABLAR DE VENTAJAS E INCONVENIENTES
- Como puntos fuertes/débiles, veo...
- Como fortalezas/debilidades, me parece que...

- Las ventajas/Los inconvenientes son claros:...

PARA HACER PREVISIONES
- Siendo optimistas, podemos pensar que...
- Viéndolo desde una óptica negativa...
- Pensando en el futuro...
- Viendo el desarrollo de la situación actual...

Discute ahora con tus compañeros el futuro del cine tal y como lo conocemos hoy.

b. ▶ **Comenta con tus compañeros esta noticia. ¿Cuál es tu opinión sobre el tema?**

Argumenta sobre el valor de los grandes deportistas

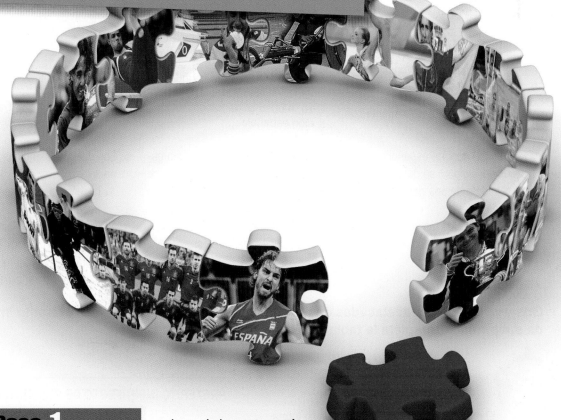

Paso **1** Comprende e interactúa	sobre el deporte y tú.
Paso **2** Escucha y cuenta	tus momentos más emocionantes.
Paso **3** Lee y escribe	acerca de tu deporte favorito.
Paso **4** Repasa y conversa	si está justificado lo que ganan los futbolistas.

Paso 1
Comprende e interactúa
Sobre el deporte y tú

1 **Lee, infórmate y conoce el imperfecto de subjuntivo**

a. ▶ **Lee y marca la respuesta correcta.**

Para todos los niños y los adolescentes españoles es normal ver a sus deportistas y a su equipo nacional ganar y ganar, pero para la gran mayoría fue increíble que un español **se convirtiera** en campeón del mundo de Fórmula 1 y que **repitiera** al año siguiente; durante muchos años fue impensable que la selección española de fútbol **levantara** el trofeo de Campeón del Mundo y de Campeón de Europa; era imposible imaginar que los chicos de la selección nacional de baloncesto **vencieran** también en un Mundial... pero no podemos decir que **fuera** casualidad que todo eso **empezara** a ocurrir precisamente con la llegada del siglo XXI.

La realidad es que existe todo un entramado que ha conseguido que nuestros equipos hayan vencido en diferentes ámbitos deportivos. Pensamos que fue determinante que las instituciones oficiales **invirtieran** en el deporte base gracias a los Juegos Olímpicos de Barcelona de 1992 y que, en consecuencia, los españoles **comenzaran** a practicar con mucha más frecuencia todo tipo de deportes.

Pero no podemos olvidar que cualquier esfuerzo de las instituciones sería imposible sin el talento individual de los Gasol, Navarro, Nadal, Contador, Lorenzo, Alonso o los futbolistas de la selección española.

a. El éxito del deporte español a principios del siglo XXI se debe...
1. al talento de una generación de deportistas.
2. al esfuerzo de las instituciones.
3. a una combinación de ambos factores.

b. La participación activa de los organismos oficiales en el deporte base tiene sus orígenes en...
1. las demandas de los chicos.
2. las Olimpiadas de Barcelona.
3. unos fines electorales.

c. Los Juegos Olímpicos de Barcelona...
1. hicieron que los españoles empezaran a ganar.
2. promovieron el talento individual.
3. animaron a los organismos oficiales a invertir en el deporte.

b. ▶ **Observa las formas destacadas en negrita en el texto, corresponden al pretérito imperfecto de subjuntivo. Completa la tabla con las formas que faltan.**

Gramática

CÓMO SE FORMA

El pretérito imperfecto de subjuntivo se forma a partir de la tercera persona del plural del pretérito perfecto simple, quitando la terminación -ron obtenemos la raíz de este tiempo verbal.

Por ejemplo: *ganar > ganaron > gana- > ganara*. Y con los verbos irregulares es igual: *ser/ir > fueron > fue- > fuera*.

PRETÉRITO IMPERFECTO DE SUBJUNTIVO

	Empezar	Vencer	Repetir
(yo)	empezara	venci......	....
(tú, vos)	empezaras	....	repitieras
(él, ella, usted)	....ra......	venciera	....
(nosotros/as)	....ramos.	....	repitiéramos
(vosotros/as)	....rais.	vencierais	....
(ellos, ellas, ustedes)	empezaran	....	....

c. ▸ **Completa las siguientes frases con la forma correspondiente del pretérito imperfecto de subjuntivo.**

1. Sin el esfuerzo desde la base no creo que (lograrse) ………............... éxitos deportivos.

2. Quizás España (cambiar) ….................. tras los Juegos Olímpicos de 1992, no lo sabemos, lo cierto es que a partir de esa fecha los logros deportivos han sido mayores.

3. Siempre pensábamos que España tenía mala suerte en las competiciones, nadie pensó que no (alcanzar) ……............ ……. éxitos deportivos por falta de preparación.

4. No pienso que (subir) …................. el nivel del deporte en España por una mayor inversión económica.

5. Puede que la selección de fútbol (llegar) …................ a la final del Mundial con algo de suerte.

2 | Interactúa y comenta estas noticias

a. ▸ **Comenta los siguientes titulares de la prensa deportiva con tu compañero. Deberás usar las expresiones del cuadro para practicar el nuevo tiempo que has aprendido.**

> España ganó por 4-0 a Italia en la final de la Eurocopa. Nunca en una final se habían marcado tantos goles.

Nadie pensaba que...
Quizás...
Puede (ser) que...
No creo que...
No recuerdo que...

> Puede ser que la gente esperara que España ganara, pero no por tanta diferencia.

> Nuevo récord de los 100 metros. Usain Bolt logró bajar de los 9 segundos.

> El austriaco Felix Baumgartner saltó desde la estratosfera en paracaídas y se convirtió en el primer ser humano que rompió la barrera del sonido.

> Messi logró marcar en un año 91 goles y superó el récord que tenía el alemán Müller desde hacía más de 40 años.

> Nadal estuvo sin competir más de cinco meses y había dudas sobre su estado de forma.

b. ▸ **Ahora elige uno de los temas y escribe un texto.**

1 **Escucha y comprende una noticia sobre el fútbol español y amplía tu vocabulario**

a. ▶ Ordena las fases del campeonato desde el principio hasta la final.

Cuartos de final 3	Semifinal 4	Final 5	Fase de grupos 1	Octavos de final 2

b. ▶ Escucha y ordena cronológicamente.

▶ Un jugador de España terminó el partido con la nariz rota. 3

▶ España logra su segunda Eurocopa del siglo XXI. 5

▶ Era un partido aparentemente fácil, pero acabó con la eliminación de España. 2

▶ Antes de la triple corona lo más cerca que había estado España de una final fueron unas semifinales. 1

▶ El árbitro tuvo mucho que ver en la derrota de España. 4

▶ España levanta el título de Campeón del Mundo. 6

c. ▶ Escucha de nuevo, si lo necesitas, y di si las siguientes afirmaciones son verdaderas o falsas. Después, relaciona las palabras marcadas con su definición.

	V	F
1. España ganó tres **torneos** consecutivos: el Mundial 2008, la Eurocopa 2010 y el Mundial 2012.	☐	☐
2. España cayó en semifinales en el Mundial de Brasil de 1950.	☐	☐
3. En 1986 en México, España se clasificó en la **prórroga**, tras terminar el partido en **empate**.	☐	☐
4. En 1994 en Estados Unidos, España empató ante Corea del Sur en la fase de grupos.	☐	☐
5. En los Mundiales de 1994 y de 2002, la eliminación de España fue por culpa de los **árbitros**.	☐	☐
6. España en los Mundiales **quedó eliminada** cuatro veces en cuartos de final.	☐	☐

.... → Persona que juzga la legalidad de las acciones en un partido de fútbol.

.... → Resultado en el que los dos equipos tienen los mismos goles.

.... → Campeonato.

.... → Quedar fuera de un torneo.

.... → Tiempo extra. Prolongación cuando el partido termina en empate.

2 Aprende a expresar sentimientos

a. ▸ **Lee las experiencias de estas personas y completa la explicación.**

Nos alegró muchísimo que España consiguiera el triplete Eurocopa-Mundial-Eurocopa, algo que nunca antes lo había logrado ninguna selección.

Me pareció sorprendente que España ganara a Italia con tanta facilidad en la final de la Eurocopa de 2012.

Es increíble que la natación sea el deporte más practicado en España.

A Rafa Nadal le emocionó ganar el séptimo Roland Garros tanto o más que el primero.

Me gustó que Iker besara a Sara Carbonero cuando ganó el Mundial. Fue muy romántico.

Pedrosa tuvo miedo de lesionarse gravemente tras su última caída en el circuito.

España temía perder de nuevo en cuartos de final.

Fue una suerte que Torres marcara en la final de la Eurocopa.

EXPRESAR SENTIMIENTOS

Verbo de sentimiento + ...
cuando es el mismo sujeto.
Ejemplo: ....
....

Verbo de sentimiento + *que* + .Subjunc.
.t.ivc. cuando son sujetos diferentes.
Ejemplo: ....
....

b. ▸ **Copia la tabla y clasifica en ella los verbos de las frases anteriores y añade otros que conozcas. Después, completa con infinitivo, presente o pretérito imperfecto de subjuntivo.**

Sentimientos positivos	Sentimientos neutros	Sentimientos negativos
		Frustrar

1. A mí me emocionó que España (ganar) .... su primer Mundial.
2. Todavía me sorprende que en España el fútbol sala (ser) .... más practicado que el fútbol.
3. Me alegro de que (venir, vosotros) .... al partido, lo pasamos genial.
4. Me gusta (ganar) .... a todos los deportes.
5. Lamento que tu equipo (perder) .... en la final.
6. Es una suerte que Fernando Alonso (fichar) .... por Ferrari.
7. Nos gusta que el próximo Mundial (ser) .... en Brasil.

3 Cuenta el momento más emocionante que has vivido

▸ **Y a ti, ¿qué te emocionó, enfadó, sorprendió...? Cuéntale a tus compañeros algún acontecimiento deportivo y qué sentimientos te produjo.**

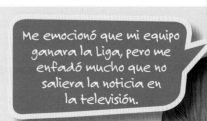

Me emocionó que mi equipo ganara la Liga, pero me enfadó mucho que no saliera la noticia en la televisión.

1 **Lee un reportaje sobre el deporte paralímpico y conoce el nombre de otros deportes**

a. ▶ **Lee y ponle título.**

🔊 t f 🖂 Hemeroteca | Suscríbete ▼ Clasificados ▼   Lunes, 17 junio 2013   🎫 Cartelera 📺 TV 🚗 Tráfico 👤 Identifícate / Regístrate

www.farodevigo.es ◄
FARO DE VIGO

Patrocinador: **renfe**

Vigo 19 / 12°

Local	Galicia	Actualidad	Deportes	Economía	Opinión	Ocio	Vida y Estilo	Comunidad	Multimedia	Servicios

Gran Vigo | Comarcas | Morrazo | Pontevedra | Deza-Tabeirós-Montes | Arousa | Ourense | Canal Celta | Club Faro | Titulares | **España en Verano** | **Versión Galego**

ÚLTIMA HORA   **El Arenas de Getxo, rival del Celta B, en la ronda definitiva por el ascenso**

L os deportistas españoles buscarán volver a brillar en los próximos Juegos Paralímpicos y conseguir que España se consagre como una de las grandes potencias paralímpicas. Cualquier resultado entre los diez primeros será un buen resultado, un objetivo que parece accesible viendo los resultados conquistados desde Barcelona 1992, donde se superaron el centenar de medallas (107).

Por un lado, la delegación nacional ha demostrado ante el mundo contar con muchos de los mejores deportistas discapacitados. En Pekín logró un total de 58, con el sabor amargo de no alcanzar las 60, para acabar en la décima plaza, posición que, pese a todo, cualquiera no puede conseguirlo. Ahora, con un equipo *veterano*, conformado por un total de 142 atletas, intentará seguir mostrando su progresión.

Por otro, la delegación nacional estará presente en la próxima cita paralímpica en 16 de las 21 disciplinas del programa paralímpico, faltando únicamente en **fútbol 7**, *goalball*, **hípica, rugby** y **voleibol**, ya que hay deportistas discapacitados integrados ya en las Federaciones Españolas de **ciclismo, remo, tenis de mesa, vela, yudo y boxeo.**

Además, España es competitiva en cualquiera de las disciplinas paralímpicas, pero, si hay que hablar de un deporte donde España es líder, ese es la **natación**. España tiene impecables nadadores, liderados por figuras como la abanderada Teresa Perales, la *Phelps* española, mezcla de veteranía y juventud, Sarai Gascón, Richard Oribe, Xavi Torres o Sebastián Rodríguez, entre otros. La natación acaparó la atención en el Water Cube de Pekín, consiguiendo más de la mitad de las medallas, un total de 31, y en los próximos Juegos volverá a ser la representación más numerosa, con 37 competidores. De esta forma, el agua aspira a volver a dar numerosas alegrías.

En conclusión, en cualquier Olimpiada desde Barcelona 1992, los buenos resultados han sido algo habitual, pero si hay algo que une a esta increíble generación de atletas es su afán de superación y la práctica del deporte en estado puro, sin otros intereses de por medio.

Adaptado de farodevigo.es

b. ▶ **Corrige la información que, según el texto, no es correcta.**

1. La selección española de deportistas paralímpicos apenas consiguió 100 medallas en Barcelona 1992.
No es que la selección española paralímpica consiguiera menos de 100 medallas, sino que llegó a 107.

2. Como cada vez hay más nivel deportivo en las Paralimpiadas será imposible para España ganar medallas.
....

3. Las Olimpiadas de Pekín fueron un fracaso porque no se alcanzaron 60 medallas.
....

4. Los atletas españoles son demasiado mayores para participar en los siguientes Juegos Olímpicos.
....

5. España tiene grandes nadadores que ganaron casi 20 medallas.
....

Gramática

PARA CORREGIR INFORMACIÓN

No porque + subjuntivo, *sino porque* + indicativo.

No es que + subjuntivo, *es que/sino que* + indicativo.

c. ▸ Relaciona los deportes marcados en negrita con las siguientes categorías deportivas.

Deportes de equipo	Deportes acuáticos	Deportes de contacto	Deportes individuales

2 Descubre el pronombre indefinido *cualquiera*

▸ Marca los pronombres *cualquier* y *cualquiera* en el texto y busca ejemplos para completar la explicación. Luego, elige la opción adecuada.

CUALQUIER Y CUALQUIERA

* Se usa el adjetivo .... cuando va seguido de un sustantivo. Hace referencia a algo indeterminado.
  Ejemplo: ..*Cualquier ellos hablan*

* .... es un pronombre y se usa sin sustantivo después porque sustituye a ..*adjectivo*.... + sustantivo.
  Ejemplo: ....

1. *Cualquier/Cualquiera* ciudad puede solicitar ser sede de un acontecimiento deportivo internacional.

2. No *cualquier/cualquiera* se puede convertir en deportista olímpico.

3. – ¿Qué partido quieres ver?
   – No me importa, *cualquier/cualquiera*.

4. – Quiero comprarme la camiseta de la selección española.
   – No te preocupes, la puedes encontrar en *cualquiera/cualquier* tienda de deporte.

3 Escribe acerca de tu deporte preferido

a. ▸ Primero, observa los recursos para ordenar el discurso y anota cuatro que hay en el texto en la casilla correspondiente.

Recursos

Para ordenar el discurso			
En primer lugar, Para empezar, ...	En segundo lugar, Para seguir, ...	Igualmente, Por otra parte, ...	En resumen, Esto es, ...

b. ▸ ¿Y tú? ¿Qué tipo de deporte prefieres?, ¿deportes individuales o de equipo?, ¿de contacto o acuáticos?, ¿de invierno o de verano? Escribe un pequeño texto argumentando tu respuesta y exponiendo ventajas e inconvenientes de cada uno.

Paso 4
Repasa y conversa
Los deportistas y el deporte

1 Repasa el pretérito imperfecto de subjuntivo

a. ▸ **Completa la tabla.**

Verbo	Pretérito perf. simple (ellos)	Pretérito imperfecto subjuntivo (tú)	Verbo	Pretérito perf. simple (ellos)	Pretérito imperfecto subjuntivo (nosotros)
Escribir	*Escribieron*	*Escribieras*	Hacer		
Poner			Ver		
Salir			Conducir		
Venir			Haber		
Dormir			Dar		
Traer			Pedir		
Ir/ser			Estar		

b. ▸ **Completa con el pretérito imperfecto de subjuntivo.**

1. Probablemente la selección de baloncesto que ganó la medalla de plata en Los Ángeles (ser) .... la mejor selección europea de aquella época.
2. A la infanta Elena le emocionó que su hermano, el príncipe, (salir) .... como abanderado en Barcelona 1992.
3. A la gente le sorprendió que EE. UU. (traer)................................ a su *Dream team* de baloncesto en los JJ. OO. de 1992.
4. Es normal que muchos futbolistas no (dormir) .... bien pensando en la final del Mundial de Sudáfrica.
5. Me llamó la atención que mucha gente (conducir) .... desde España hasta Polonia para ver la Eurocopa de fútbol.
6. Lo más seguro es que al portero de la selección de fútbol le (pedir) .... más autógrafos que a nadie durante la última Eurocopa de fútbol.
7. A todo el mundo le sorprendió que el seleccionador no (poner) .... a los mejores jugadores en el equipo titular.

2 Repasa los indefinidos cualquier o cualquiera

▸ **Completa con *cualquier* o *cualquiera*.**

1. Con el nivel actual en el fútbol europeo .... equipo puede ganar la Liga de Campeones.
2. No pienso que .... pueda jugar en un equipo de Primera División. Es muy complicado.
3. Hoy en día .... puede jugar al golf. Ya no es un deporte tan exclusivo.
4. .... deportista de élite actual se dedica exclusivamente a su especialidad.
5. En mi opinión, ... persona puede encontrar un deporte que le guste.

3 **Repasa** el presente y el imperfecto de subjuntivo

a. ▸ **Completa con presente o imperfecto de subjuntivo y relaciona.**

1. A pesar del paro actual no creo que...	a. mi equipo (perder) .... por 4 a 0.
2. No está claro que...	b. aquel deportista (tomar) .... sustancias prohibidas.
3. Me pareció interesante que...	c. los grandes eventos deportivos (ser) .... muy difíciles de organizar.
4. Tras conseguir la triple corona me emocionaría mucho que...	d. la Eurocopa de balonmano se (organizar) .... entre dos países.
5. Es la tercera vez que me roban. Sinceramente me asusta que...	e. me (ir, yo) .... a trabajar al extranjero el año que viene.
6. En la empresa a la que llevé el CV buscaban a alguien que...	f. (ser) .... fácil bajar el récord del mundo de 100 metros.
7. Fue una lástima que...	g. (saber) .... 5 idiomas para trabajar como traductor.
8. Tras la nueva marca no creo que...	h. (haber) .... tanta delincuencia en mi país.

b. ▸ **Subraya la opción adecuada.**

1. No creo que el torneo Seis Naciones *es/sea* el evento deportivo más visto en Inglaterra.
2. Me encanta que el fútbol *sea/fuera* tan popular en todo el mundo.
3. Los españoles lamentaron que no *elijan/eligieran* a Madrid como sede olímpica hace dos años.
4. No creo que la Super Bowl del año pasado *sea/fuera* la mejor de la historia, como mucha gente piensa.
5. Fue una sorpresa que la Copa América la *gane/ganara* Nueva Zelanda.
6. No pienso que España *consiga/consiguiera* muchas medallas en el Campeonato del Mundo del próximo verano.

4 **Repasa** el vocabulario de los deportes

a. ▸ **Escucha y responde si las siguientes afirmaciones son verdaderas o falsas.**

1. El Real Madrid llega al clásico como primer clasificado con un punto de ventaja sobre el Barça.
2. En el Santiago Bernabéu el Real Madrid y el Barça empataron.
3. Si el Real Madrid pierde, el Barça será primero.
4. Quien gane el partido ganará el título de Liga.
5. El primer equipo en tocar el balón es el Real Madrid.

b. ▸ **Completa con tus gustos.**

1. Mi deporte favorito es ....
2. No entiendo las reglas para jugar a ....
3. Mi deportista preferido es ...., no porque ...., sino porque ....
4. Nunca me pierdo .... cuando lo ponen por televisión.
5. Me gustaría ver en directo alguna vez ....

5 ¿Está justificado lo que ganan los futbolistas? Expresa tu opinión. Antes prepárate para ello.

a. ▶ Observa el *ranking* de 2013 y anota tres ideas.

Los 10 futbolistas mejor pagados del mundo

Publicado: 23 abr 2013 | 2:28 GMT   Última actualización: 23 abr 2013 | 3:08 GMT

Ranking	Futbolistas	Equipo	Sueldo
1	Samuel Eto´o	Anzhi	20 mill. de euros por temporada
2	Cristiano Ronaldo	Real Madrid	17 mill. de euros al año
3	Leo Messi	FC Barcelona	16 mill. de euros por temporada
4	Neymar Jr.	FC Barcelona	15 mill. de euros por temporada
5	Zlatan Ibrahimovic	Paris Saint Germain	14,5 mill. de euros al año
6	Radamel Falcao	Mónaco	14 mill. de euros por temporada
7	Wayne Rooney	Manchester United	13,8 mill. de euros por temporada
8	Sergio Agüero	Manchester City	13,5 mill. de euros por temporada
9	Yayá Touré	Manchester City	13 mill. de euros por temporada
10	Thiago Silva	Paris Saint Germain	12 mill. de euros al año

b. ▶ Lee ahora estas dos opiniones y redacta tu opinión apoyándola en algunos argumentos.

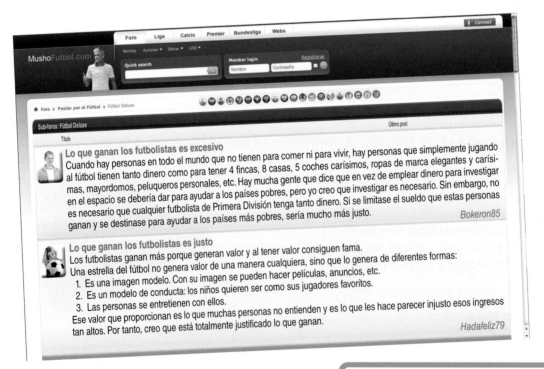

Lo que ganan los futbolistas es excesivo
Cuando hay personas en todo el mundo que no tienen para comer ni para vivir, hay personas que simplemente jugando al fútbol tienen tanto dinero como para tener 4 fincas, 8 casas, 5 coches carísimos, ropas de marca elegantes y carísimas, mayordomos, peluqueros personales, etc. Hay mucha gente que dice que en vez de emplear dinero para investigar en el espacio se debería dar para ayudar a los países pobres, pero yo creo que investigar es necesario. Sin embargo, no es necesario que cualquier futbolista de Primera División tenga tanto dinero. Si se limitase el sueldo que estas personas ganan y se destinase para ayudar a los países más pobres, sería mucho más justo.
Bokeron85

Lo que ganan los futbolistas es justo
Los futbolistas ganan más porque generan valor y al tener valor consiguen fama.
Una estrella del fútbol no genera valor de una manera cualquiera, sino que lo genera de diferentes formas:
1. Es una imagen modelo. Con su imagen se pueden hacer películas, anuncios, etc.
2. Es un modelo de conducta: los niños quieren ser como sus jugadores favoritos.
3. Las personas se entretienen con ellos.
Ese valor que proporcionan es lo que muchas personas no entienden y es lo que les hace parecer injusto esos ingresos tan altos. Por tanto, creo que está totalmente justificado lo que ganan.
Hadafeliz79

¿Y tú?, ¿con qué opinión estás de acuerdo?
Coméntalo con tus compañeros.

Aprende de las diferencias culturales

Paso 1 Escucha y cuenta	una anécdota con diferencias culturales.
Paso 2 Comprende e interactúa	contando las preguntas tabú en tu cultura.
Paso 3 Lee y escribe	sobre curiosidades culturales.
Paso 4 Repasa y conversa	dando tu opinión sobre el espanglish.

1 Comprende opiniones sobre diferencias culturales

a. ▶ Escucha las opiniones y experiencias de estas personas e identifica cada una con estos temas.

Las costumbres con los regalos **5**

Las excusas y la cortesía **7**

La comunicación con desconocidos **9**

La cortesía en las comidas familiares **4**

La puntualidad **3**

Los horarios comerciales **1**

La informalidad en el trato **10**

El concepto del tiempo **6**

Los hábitos sociales en fiestas formales **8**

Los horarios personales **2**

b. ▶ Relaciona las opiniones de estas personas. Luego, escucha otra vez, numera las opiniones en el orden que las escuchas y comprueba.

○ Baris dijo que las tiendas en España estaban cerradas entre las 14:00 y las 17:00.

○ Yves contó, muy enfadado, que habían quedado a las doce, pero nadie había sido puntual. Que uno había llegado a las 12:10 y los otros dos a las 12:20.

○ Sam explicó que, en un cumpleaños en España, cuando le dio su regalo, su amigo ya había abierto los otros.

○ Nathalie nos advirtió de que los españoles nunca decían que no directamente si alguien les invitaba. Normalmente decían que les encantaría, pero no podían o que les gustaría mucho, pero no sabían si iban a poder.

○ Fang Fang manifestó que esperaba que hubiera cambiado la costumbre de los españoles de **darle a la lengua** todo el tiempo, aunque no te conocieran.

○ Christina comentó que cuando vivía en España **se hacía un lío** con el horario de las comidas, especialmente el de la cena, porque era muy tarde.

○ Virginia describió que la madre de su amigo español **no paró de** insistir y que había tenido que repetir el primer plato.

○ Sandrine señaló que, por su experiencia, si un español decía que se verían después de comer significaba que quedarían a las 16:00 o a las 17:30.

○ Marcelo me aconsejó que, cuando me invitaran a cenar a casa de alguien en España, llevara algo de beber.

○ Michael narró que, cuando empezó a trabajar en Madrid, **le chocó** que sus nuevos compañeros de trabajo le hablaran de *tú* desde el primer día.

○ Y aclaró que en su país también solían llevar dulces o flores.

○ Y declaró que en su país siempre hablaban de *usted* en el trabajo.

○ Confesó que en su país se abrían todos al final de la fiesta.

○ Aseguró que en su país cenaban a las 17:00.

○ Y precisó que en su país no **se andaban por las ramas**: sí o no.

○ Y que donde ella vive, después de comer es a las 14:00 o las 14:30.

○ Añadió que eso era muy raro para él porque en su país las tiendas no cerraban a mediodía.

○ Luego, confesó que las madres de España eran iguales que las de su país.

○ Me contó que cuando vivía en España ocurría así todo el tiempo y que en China eso era impensable.

○ Y que eso en su país no pasaba porque eran muy puntuales.

c. ▸ Escribe qué palabra de las marcadas en negrita corresponde a cada definición.

_____ = Desviarse del tema principal de un asunto.

_____ = Sorprenderse.

_____ = Insistir mucho.

_____ = Confundirse.

_____ = Hablar demasiado.

2 Descubre el estilo indirecto para transmitir informaciones

a. ▸ Busca en los textos anteriores las frases equivalentes. Luego, marca los tiempos verbales que cambian.

Gramática

PARA TRANSMITIR...		... USAMOS
Información actual «En Turquía las tiendas no cierran a mediodía».	→	
Una descripción o costumbres «En México solemos llevar dulces o flores».	→	
Información pasada «Tuve que repetir el primer plato».	→	
Planes de futuro «Si un español dice que nos veremos después de comer, significa que quedaremos a las 17:00 o las 18:00».	→	

b. ▸ Vuelve a leer los otros textos e imagina cómo era la frase original. Luego, escucha otra vez y comprueba.

c. ▸ Imagina que ayer te dieron estas informaciones. ¿Cómo las tramites hoy?

> Te invito yo, que hoy es mi cumpleaños.

> Ya verás, en España todo se hace muy tarde. Si quieres comer a la una, no podrás porque los restaurantes estarán todos cerrados.

> Pues yo, cuando estuve allí, descubrí que la gente no duerme la siesta, al contrario de lo que creía.

3 Cuenta una anécdota sobre choques culturales

▸ ¿Conoces alguna anécdota de algún amigo tuyo que haya tenido un malentendido cultural? Compártela con tu compañero.

> Una amiga alemana me contó que, cuando celebró su cumpleaños, los españoles se extrañaron muchísimo de que, en vez de abrir los regalos cuando se los daban, los guardaba todos en su cuarto hasta el fin de la fiesta, que fue cuando los abrió.

1 Comprende unas opiniones sobre la causa de los malentendidos

19

a. ▸ **Escucha las anécdotas e identifica la causa que provoca malentendidos.**

La lengua • Los prejuicios • Los gestos • El humor • El concepto del tiempo • Las costumbres

b. ▸ **Coloca los fragmentos en su lugar adecuado y ordena los párrafos del artículo.**

❶ muy pocos asiáticos afirmaron que se divirtieran con los chistes occidentales.

❷ los negocios son serios y deberían tratarse sin distracciones irrelevantes. Así lo corroboran las estadísticas, según las cuales un 40 % de los empresarios se llevaban una impresión negativa si el interlocutor salpica su discurso de anécdotas alejadas del tema de la negociación.

❸ un estudio realizado en EE. UU. reveló que un 80 % de los propietarios de una empresa verían como positivo que se bromeara, ya que haría que la reunión avanzara y que se hicieran más cosas en menos tiempo.

❹ suelen ser igual de importantes que otros aspectos, como la puntualidad o la buena presencia.

❺ Lo que puede resultar chistoso para un argentino puede ser totalmente condenable en Colombia. Esa historia que te pidieron que repitieras una y mil veces puede ser absolutamente incomprensible para un canadiense.

❻ pero no siempre es interpretado correctamente.

Iceberg CULTURAL INTELLIGENCE
Inteligencia Cultural para el éxito de sus experiencias globales

1 Sin embargo, los alemanes y los japoneses creen que el humor está fuera de lugar durante las negociaciones: { a }. De hecho, { b }. Tampoco encuentran mucho mérito en los chistes sobre religión, sexo y minorías poco privi-legiadas.

2 Los empresarios interactúan muy frecuentemente con colegas y clientes internacionales. Comentar algún inciden-te personal gracioso o situación embarazosa puede relajar la tensión. Pero a veces un inocente comentario irónico se convierte en un ataque a la cultura del otro. Y es que, más allá de nuestras intenciones, los significados que transmitimos a través del humor { c }.

3 El humor durante las reuniones suele ser bastante frecuente en varios países y hasta una táctica válida para rom-per el hielo. Especialmente en los países anglosajones, el humor es utilizado de manera sistemática. Por ejemplo, { d }.

4 La inclusión de algo de humor podría contribuir a generar confianza en la persona, { e }. El humor cruza los lími-tes de un país con cierta dificultad. { f } Y aunque la contraparte se ría de tu comentario, no te olvides de que en muchas partes del mundo, con frecuencia la risa simboliza vergüenza, nerviosismo o hasta desprecio. Así pues, ¡mucho cuidado!

Adaptado de *blogicebergconsulting.com*

c. ▶ **Completa para que las afirmaciones correspondan a lo que dice el texto.**

(a) Al hacer negocios, en Estados Unidos el sarcasmo se considera ....

(b) Al hacer negocios, tanto los alemanes como los japoneses coinciden en ....

(c) Al hacer negocios, las diferencias culturales y religiosas pueden ....

(d) El concepto de lo que es divertido ....

(e) Al hacer negocios, el sentido del humor puede influir ....

d. ▶ **¿Qué palabras o expresiones subrayadas en el texto corresponden a estas definiciones?**

■ Menosprecio.

■ Reconocer lo positivo o beneficioso de algo.

■ Un momento incómodo o vergonzoso.

■ No ser apropiado, no ser adecuado a una situación.

■ Terminar con una situación incómoda o de tensión.

2 | Fíjate en el uso del subjuntivo en el estilo indirecto

a. ▶ **Lee la explicación y busca en los fragmentos de la actividad 1.b las frases en estilo indirecto que corresponden a las citas literales.**

1. «Repite otra vez esa historia».
2. «No nos divierte que se cuenten chistes».
3. «Para mí es positivo que se bromee, eso haría que la reunión avance y que se hagan más cosas en menos tiempo».

b. ▶ **Lee estos consejos y transmítelos. ¿Con cuál estás más de acuerdo?**

1. En las relaciones internacionales ten cuidado con los chistes. No hagas nada que pueda ser malinterpretado.
2. Si hablas con personas de otras culturas, acostúmbrate a no juzgarlos por tus parámetros culturales.
3. Sé tú mismo allá donde vayas y no intentes no equivocarte, porque, hagas lo que hagas, habrá malentendidos.
4. Una buena estrategia cuando estés en negociaciones es que, si ves reacciones extrañas, expliques tu punto de vista.

3 | Interactúa y habla sobre los tabúes de tu país

a. ▶ **¿En qué situaciones te parece adecuado, y en cuáles no, hacer estas preguntas? ¿Por qué?**

1. ¿Cuál es tu sueldo? ¿Cuánto ganas?
2. ¿Crees en Dios? ¿Practicas alguna religión?
3. ¿Cuántos años tienes? ¿Qué edad tienes?
4. ¿Estás casado? ¿Tienes novia? ¿Tienes pareja? ¿Tienes hijos?
5. ¿Qué te parece mi novia? Es guapa, ¿verdad?
6. ¿A quién votaste?
7. ¿Estás embarazada?
8. ¿Dónde estudiaste?

— Es una pregunta que se puede hacer a cualquier persona.

— Hay que tener mucha confianza con esa persona para hacer esta pregunta. Por ejemplo...

— Pues depende de la situación y de la relación. Por ejemplo...

— Esta es una pregunta que nunca se debe hacer. ¡Nunca!

b. ▶ **Escucha y comprueba cuáles son las preguntas tabú en la cultura española.**

c. ▶ **¿Qué preguntas se consideran tabú en tu cultura? ¿Por qué?**

1 Comprende un artículo sobre curiosidades culturales

a. ▶ **Sustituye las expresiones entre paréntesis por sus sinónimos y ponle título al artículo.**

> trivial • interrumpir • trae mala suerte • viajar es la mejor universidad • ofrecimiento
> • anticipa • al pie de la letra • dintel • embarazosas

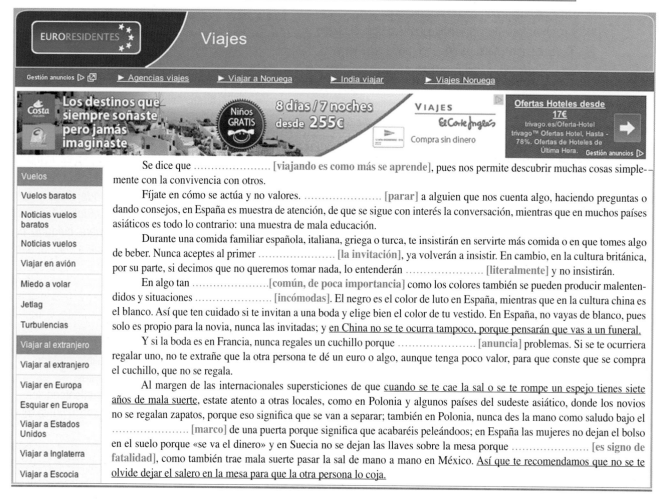

EURORESIDENTES ★★★★★ Viajes

Gestión anuncios ▷ ☑ ▶ Agencias viajes ▶ Viajar a Noruega ▶ India viajar ▶ Viajes Noruega

Costa — Los destinos que siempre soñaste pero jamás imaginaste — Niños GRATIS — 8 días / 7 noches desde 255€ — VIAJES ElCorteInglés — Compra sin dinero — Ofertas Hoteles desde 17€ trivago.es/Oferta-Hotel — trivago™ Ofertas Hotel, Hasta -78%. Ofertas de Hoteles de Última Hora. Gestión anuncios ▷

Menú lateral: Vuelos | Vuelos baratos | Noticias vuelos baratos | Noticias vuelos | Viajar en avión | Miedo a volar | Jetlag | Turbulencias | Viajar al extranjero | Viajar al extranjero | Viajar en Europa | Esquiar en Europa | Viajar a Estados Unidos | Viajar a Inglaterra | Viajar a Escocia

Se dice que .... [viajando es como más se aprende], pues nos permite descubrir muchas cosas simplemente con la convivencia con otros.

Fíjate en cómo se actúa y no valores. .... [parar] a alguien que nos cuenta algo, haciendo preguntas o dando consejos, en España es muestra de atención, de que se sigue con interés la conversación, mientras que en muchos países asiáticos es todo lo contrario: una muestra de mala educación.

Durante una comida familiar española, italiana, griega o turca, te insistirán en servirte más comida o en que tomes algo de beber. Nunca aceptes al primer .... [la invitación], ya volverán a insistir. En cambio, en la cultura británica, por su parte, si decimos que no queremos tomar nada, lo entenderán .... [literalmente] y no insistirán.

En algo tan .... [común, de poca importancia] como los colores también se pueden producir malentendidos y situaciones .... [incómodas]. El negro es el color de luto en España, mientras que en la cultura china es el blanco. Así que ten cuidado si te invitan a una boda y elige bien el color de tu vestido. En España, no vayas de blanco, pues solo es propio para la novia, nunca las invitadas; y en China no se te ocurra tampoco, porque pensarán que vas a un funeral.

Y si la boda es en Francia, nunca regales un cuchillo porque .... [anuncia] problemas. Si se te ocurriera regalar uno, no te extrañe que la otra persona te dé un euro o algo, aunque tenga poco valor, para que conste que se compra el cuchillo, que no se regala.

Al margen de las internacionales supersticiones de que cuando se te cae la sal o se te rompe un espejo tienes siete años de mala suerte, estate atento a otras locales, como en Polonia y algunos países del sudeste asiático, donde los novios no se regalan zapatos, porque eso significa que se van a separar; también en Polonia, nunca des la mano como saludo bajo el .... [marco] de una puerta porque significa que acabaréis peleándoos; en España las mujeres no dejan el bolso en el suelo porque «se va el dinero» y en Suecia no se dejan las llaves sobre la mesa porque .... [es signo de fatalidad], como también trae mala suerte pasar la sal de mano a mano en México. Así que te recomendamos que no se te olvide dejar el salero en la mesa para que la otra persona lo coja.

b. ▶ **Responde.**

1. **Comprende.** ¿Por qué se dice que «viajar es la mejor universidad»?
   Opina. ¿Estás de acuerdo con esa idea? Cuenta alguna experiencia personal.

2. **Comprende.** ¿En qué países se afirma que es norma común «forzar» al invitado a que consuma algo?
   Opina. ¿Te sientes cómodo cuando alguien te insiste en que tomes algo?

3. **Comprende.** ¿Es verdad que en China no es aconsejable vestir de blanco en una boda porque es el color reservado para la novia?
   Opina. ¿Hay en tu cultura algunos colores que tienen un significado especial o que se asocian con algún acontecimiento en particular?

4. **Comprende.** ¿Qué objetos o acciones se asocian, según el texto, con la mala suerte en Francia, Polonia, España y Suecia?
   Opina. ¿Eres supersticioso? ¿Qué da buena o mala suerte en tu cultura, según las creencias populares?

c. ▶ Escribe las siete recomendaciones que formularon los autores del artículo y explica el motivo, como en el ejemplo.

Recomendaron que viajáramos porque así era como mejor se aprende a convivir.

---

2 Aprende a expresar la involuntariedad

▶ Utiliza las expresiones subrayadas en el texto como ejemplos para ilustrar la explicación. Después, completa.

1. Cuando mi hermano estaba llegando a Alemania, (rompérsele) .... el coche.

2. Lo siento, (olvidársele) .... comprar los ingredientes para hacer el bizcocho.

3. A mi madre (perdérsele) .... los palillos que le traje de China.

4. Juanma, ¿qué es ese ruido?, ¿qué (caérsele) ....?

5. Han intentado hacer la comida que aprendieron cuando estuvieron en Corea, pero (quemársele) .... Habrá que pedir unas *pizzas* si queremos cenar.

6. ¿Sabes? A nosotros (morírsele) .... siempre las plantas… todas menos el bonsái que nos trajisteis de Japón.

7. Al jefe de estudios y a mí (ocurrírsele) .... organizar una fiesta de comida internacional en la escuela.

EXPRESAR INVOLUNTARIEDAD

Hay verbos que indican que la acción se ha realizado sin intención, pero hay una persona que recibe los efectos de la misma *(perdérsele, caérsele, rompérsele algo a alguien)*.

Ejemplos:

■ ....
■ ....
■ ....

En estos verbos, el pronombre *se* señala la involuntariedad y el pronombre de complemento indirecto informa de quien recibe los efectos.

---

3 Escribe sobre curiosidades y costumbres extrañas

▶ Elige la opinión con la que estás de acuerdo y escribe un texto explicando tu postura y justificándola con ejemplos de tu cultura o de culturas que conoces.

«Respeto a quien tiene la idea romántica de que no hay costumbres extrañas, pero no nos engañemos: hay cosas que se escapan a toda razón, a toda lógica… esas costumbres raras están asociadas a pueblos menos desarrollados, a culturas muy aisladas de toda civilización, a fanatismos y a visiones del mundo muy antiguas».

Juan María

«No hay costumbres extrañas, sino perspectivas diversas. Lo que es normal y habitual para mí puede ser algo muy exótico, ilógico u horrible para ti. Hasta que no nos dicen a la cara que alguna de nuestras costumbres es rara no reflexionamos sobre la propia cultura».

Ferrán

1 Repasa el estilo indirecto

a. ▸ **Transforma las siguientes frases de estilo directo a indirecto.**

1. Gosia: «Me sorprende que los chicos no abran la puerta». > Gosia me dijo que...
2. Antonio: «Te prohíbo que pagues la cuenta». > Antonio me prohibió que...
3. Xabi: «Espero que te guste la película». > Xabi me dijo que...
4. Marta: «Mañana quedaremos un poco antes de las 10». > Marta me dijo que...
5. Raúl: «Ayer cené con tu hermana». > Raúl me comentó que...
6. Ana: «¿Vas a ir al banco esta mañana?». > Ana me preguntó que si...

b. ▸ **Escucha y toma nota de los mensajes que dejan estas personas.**

Ayer llamó el señor García y dijo que...

El sábado Ricardo dejó un mensaje que decía...

La señorita Abrines dejó un mensaje en el que decía...

Ana llamó y dijo que...

c. ▸ **Transforma.**

1. ¿Vendrás a mi fiesta mañana?
2. ¿Cómo vienes a la escuela?
3. ¿Dónde has puesto mi jersey?
4. ¿Tu vuelo llegó a tiempo a Málaga?
5. ¿Por qué has llegado tan tarde al trabajo?
6. ¿Qué hiciste ayer por la tarde?

2 Repasa la forma de transmitir órdenes y consejos

a. ▶ **Transmite la información.**

¡Corred más, corred más!

El entrenador *nos pidió que corriéramos más en el partido.*

Ven esta tarde y estudiamos juntos.

Marta me propuso

....

....

Vuelva en 10 minutos, por favor.

El funcionario me dijo

....

Pásate esta noche por casa, hay una fiesta.

Sergio me invitó

....

Regálele un bolso. A ella le encantan los bolsos.

Lidia recomendó a mi madre

....

Cierren los libros, va a empezar el examen.

La profesora ordenó

....

....

Debe dejar de fumar inmediatamente.

La médica aconsejó

....

....

Cómprenlo aquí, es más barato.

La guía nos sugirió

....

....

Hazla con marisco, sale más sabrosa.

Mi suegro me dijo

....

....

b. ▶ **Completa con el verbo adecuado del cuadro sin repetir ninguno y pon el verbo en la forma correcta.**

recomendar • pedir • prohibir • ordenar • invitar • ofrecer • proponer • sugerir

1. Javier nos .... que (hacer) .... una excursión a las Alpujarras de Granada, que era precioso.
2. El profesor nos .... que (usar) .... el diccionario durante el examen.
3. El policía me .... que le (dar) .... el carné de conducir y la documentación del coche en cuanto me paró.
4. Mi madre me .... que no (poner) .... tanta sal en la comida.
5. La hermana de mi novio me .... que (quedarse) .... a dormir en su casa el fin de semana.
6. Juana y Diego me .... a que (asistir) .... a su boda en Polonia.
7. Carlos y Ángel me .... que, por favor, les (llevar) .... al aeropuerto el sábado pasado.
8. Nuestro jefe nos .... que (empezar) .... a trabajar media hora antes el día de la inspección. No era obligatorio, pero todos lo hicimos.

3 ¿Qué piensas de fenómenos lingüísticos como el espanglish? Da tu opinión, pero antes, prepárate.

a. ▶ ¿Sabes qué es el *espanglish*? Lee estos fragmentos de noticias, responde a las preguntas y, después, intenta hacer una definición de *espanglish*.

En los Estados Unidos de Norteamérica, la cultura latinoamericana ha tenido tal presencia durante años que su influencia ha dado lugar a una fusión cultural innegable. Uno de los elementos fundamentales de dicha fusión ha sido la mezcla de los idiomas español e inglés, originando un complejo fenómeno denominado *espanglish*.

Adaptado de *ub.edu*

¿Piensas que el espanglish será el idioma oficial de EE. UU. en un futuro?

Un artículo reciente de *The New York Times* calificaba el espanglish como la tercera lengua de Nueva York después del inglés y el español.

Adaptado de *elcastellano.org*

¿Irías a una escuela para aprender espanglish?

Kevin Johansen es el poeta del espanglish. Es el más latinoamericano en Norteamérica, es el más europeo entre los sudamericanos. Como él mismo dice: «Si naces en Alaska y luego tus padres te llevan a Argentina, pero luego como músico tienes éxito en Perú y terminas viviendo en Nueva York, donde te haces amigo de Hilly Krystal, el dueño del mítico CBGB, hogar de todo el *punk* estadounidense... ¿qué clase de músico sale de esta mezcla?».

Adaptado de *eltiempo.com*

¿Crees que fenómenos como el de K. Johansen serán cada vez más habituales?

Quien habla espanglish lo que quiere es hablar inglés y trata de abandonar el español para expresarse en una nueva lengua que todavía no domina.

Adaptado de *cervantes.es*

¿Crees que esta afirmación es cierta?

b. ▶ **Habla con tus compañeros.**

1. ¿Conoces otros casos parecidos? ¿En qué otros lugares crees que se puede dar un fenómeno parecido actualmente o en el futuro?
2. Como estudiante de idiomas, ¿crees que son buenos para la comunicación estos fenómenos? ¿O crees que deben tomarse medidas para que desaparezcan?
3. ¿Sabías que hay una versión de *Don Quijote* en espanglish? ¿Qué opinas de los que piensan que fenómenos como el espanglish son aceptables en la lengua oral, pero no en la lengua escrita?

PARA OPINAR

A mi entender...
A mi juicio...
En mi opinión...
Personalmente, considero que...
Particularmente, me parece que...

PARA EXPRESAR ACUERDO

¡Efectivamente!
Claro, claro...
Eso es lo que yo digo/decía.
Eso está claro, no hay duda.

PARA EXPRESAR DESACUERDO TOTAL O PARCIAL

Coincido contigo en que..., pero no en lo de que...
Tienes razón en... sin embargo, no estoy de acuerdo cuando dices...
En absoluto.

c. ▶ **Elige con tus compañeros uno de estos temas y debatid vuestra opinión.**

El itañol, un fenómeno curioso nacido para comunicarse.	¿Los diferentes acentos del inglés (británico, americano, australiano, irlandés...) son un obstáculo para la comprensión?	¿Los suecos y los noruegos se entienden cuando hablan?	¿Los españoles pueden entender las otras lenguas que se hablan en España: gallego, catalán y vasco?
El portuñol, un caso curioso en las fronteras.	¿En toda China se habla el mismo idioma o hay diferentes variedades? ¿Se entienden entre ellos?	¿Es igual el francés de Francia, el de Bélgica, el de Canadá o el de Suiza?	¿Los checos y los eslovacos se entienden?

Cuenta cuál es el alimento más característico de tu país

Paso 1 Comprende e interactúa	describiendo alimentos y platos.
Paso 2 Escucha y cuenta	comidas especiales de tu país.
Paso 3 Lee y escribe	sobre experiencias culinarias.
Paso 4 Repasa y conversa	acerca de la comida que no puede faltar en una festividad.

Paso 1
Comprende e interactúa
Alimentos y platos

1 Comprende las diferentes visiones de la gastronomía

a. ▶ Lee estas opiniones y di con cuál o cuáles te identificas más. ¿Por qué? Coméntalo con tus compañeros y encuentra al que tiene una visión más próxima a la tuya.

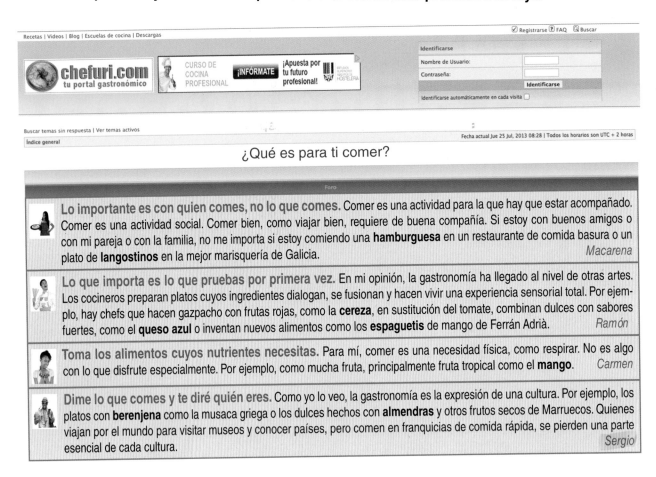

Recetas | Vídeos | Blog | Escuelas de cocina | Descargas

☑ Registrarse ❓FAQ 🔍 Buscar

chefuri.com
tu portal gastronómico

CURSO DE COCINA PROFESIONAL | ¡INFÓRMATE | ¡Apuesta por tu futuro profesional!

Identificarse

Nombre de Usuario:

Contraseña:

Identificarse

Identificarse automáticamente en cada visita ☐

Buscar temas sin respuesta | Ver temas activos

Fecha actual Jue 25 Jul, 2013 08:28 | Todos los horarios son UTC + 2 horas

Índice general

¿Qué es para ti comer?

Foro

Lo importante es con quien comes, no lo que comes. Comer es una actividad para la que hay que estar acompañado. Comer es una actividad social. Comer bien, como viajar bien, requiere de buena compañía. Si estoy con buenos amigos o con mi pareja o con la familia, no me importa si estoy comiendo una **hamburguesa** en un restaurante de comida basura o un plato de **langostinos** en la mejor marisquería de Galicia.
Macarena

Lo que importa es lo que pruebas por primera vez. En mi opinión, la gastronomía ha llegado al nivel de otras artes. Los cocineros preparan platos cuyos ingredientes dialogan, se fusionan y hacen vivir una experiencia sensorial total. Por ejemplo, hay chefs que hacen gazpacho con frutas rojas, como la **cereza**, en sustitución del tomate, combinan dulces con sabores fuertes, como el **queso azul** o inventan nuevos alimentos como los **espaguetis** de mango de Ferrán Adrià.
Ramón

Toma los alimentos cuyos nutrientes necesitas. Para mí, comer es una necesidad física, como respirar. No es algo con lo que disfrute especialmente. Por ejemplo, como mucha fruta, principalmente fruta tropical como el **mango**.
Carmen

Dime lo que comes y te diré quién eres. Como yo lo veo, la gastronomía es la expresión de una cultura. Por ejemplo, los platos con **berenjena** como la musaca griega o los dulces hechos con **almendras** y otros frutos secos de Marruecos. Quienes viajan por el mundo para visitar museos y conocer países, pero comen en franquicias de comida rápida, se pierden una parte esencial de cada cultura.
Sergio

b. ▶ Busca en el foro los nombres de los alimentos y escríbelos debajo de cada foto.

1	2	3	4
espaguetis	langostinos	mango	cereza

5	6	7	8
queso azul	almendras	hamburguesa	berenjena

2 **Conoce los distintos pronombres relativos**

a. ▸ **Observa y busca ejemplos en el foro.**

Gramática

> *Quien/Quienes*
> Se refieren solo a personas. Pueden ir después del antecedente y con preposición, o sin el antecedente.
>
> *Cuyo (a) (os) (as)*
> Indican posesión. Concuerdan en género y número con la persona o cosa poseída.
>
> *El, la, los, las que*
> Hacen referencia a personas o a cosas. Equivalen a *quien/quienes* en el caso de personas. Pueden ir con preposición, según lo necesite el verbo.
>
> *Lo que*
> Hace referencia a ideas abstractas. Equivale a *eso*. Puede ir con preposición, según lo necesite el verbo.

b. ▸ **Completa con los relativos adecuados y las preposiciones en caso necesario.**

1. En esta foto están los amigos .... fui a cenar.
2. Aquí tenéis la receta, ... necesitaréis tomates.
3. Ese es el chef .... restaurante es uno de los mejores del mundo.
4. Creo que estas son las fechas .... podemos ir todos.
5. La comida mexicana es muy rica, ... la hace muy popular en el mundo.
6. Esta región de España, ... espárragos son los mejores de Europa, es conocida como «la huerta de España».
7. Esta es la revista .... escribe el crítico .... te hablé ayer.
8. .... más me gusta de la gastronomía peruana es la variedad.

3 **Aprende a describir**

▸ **Relaciona cada alimento con su definición. Luego piensa en otra palabra y descríbela.**

1. Es una especia que se utiliza como condimento para dar sabor a las *pizzas*, entre otros platos.

2. Es un fruto seco, con cáscara muy dura, que se come crudo o en dulces.

3. Es un tipo de leche con azúcar con la que se preparan postres.

4. Es un molusco de color naranja cuya concha es negra y que se come mucho en Bélgica.

5. Son semillas, como las lentejas, la soja o las judías.

6. Es un marisco grande y muy bueno, que tiene un precio muy alto en los grandes restaurantes.

7. Es una parte del pollo que se prepara habitualmente en barbacoa o frita.

3 Leche condensada

4 Langosta

5 Legumbres

2 Nueces

1 Orégano

6 Mejillones

7 Alitas

4 **Interactúa y participa en un foro sobre comida**

▸ **Elige uno de estos temas de un foro y deja tu comentario. Utiliza los relativos y el léxico aprendido en este paso para describir.**

El plato más raro que he probado

La costumbre gastronómica más curiosa que conozco

El alimento más exótico que he comido

1 Escucha y conoce propuestas gastronómicas originales

▸ Escucha estas noticias de la radio y relaciona cada una con su titular. Después, di si las afirmaciones son verdaderas o falsas.

¿Me puede traer la carta de potitos?

3

Los crudívoros ya tienen restaurante en Madrid.

2

Castigo educativo y solidario en el restaurante.

1

	V	F
1. El objetivo de cobrar por lo que no te comas es concienciar a la gente sobre el problema del hambre.	✓	
2. Los restaurantes crudívoros nacen como una opción a los restaurantes de cocina innovadora.		✓
3. En realidad, la cocina crudívora es una forma de volver a la comida más original, más natural.	✓	
4. Las ideas de la asociación de padres para conciliar la vida familiar con comer en restaurantes son bastante excéntricas e imposibles de realizar.		✓
5. Una de las ideas de la asociación de padres es que la carta ofrezca tres menús: para adultos, para niños y para bebés.	✓	

2 Recuerda cuándo se usa indicativo o subjuntivo en las oraciones relativas

a. ▸ Completa las frases con el verbo en la forma adecuada.

1. Me encantaría comer un jamón que (ser) ....fuera.... tan bueno como el Joselito, pero es demasiado caro.

2. Querían probar unos dulces que (estar) .... hechos de forma artesana y por eso fueron a una pastelería muy antigua que (estar) .... en el centro y creo que la experiencia fue increíble.

3. Compraron un queso riquísimo con el que (preparar) .... un plato de aquella región que (aprender) .... a cocinar en un curso de cocina al que (asistir) .... en la escuela.

4. Quieren la receta del plato que (cocinar) .... tu madre el día de Navidad.

5. Buscaban el bar de tapas en el que (conocerse) .... quince años antes.

6. Estaban deseando ir a algún restaurante cuyo chef (ser) .... conocido y finalmente decidieron ir a Manzanilla, del cocinero Dani García, que (conseguir) .... una estrella Michelin hace unos años.

7. No tenían mucho dinero y me dijeron que comerían en el primer sitio que (encontrar) ....

8. ¿Os gustaría cenar en algún sitio donde (servir) .... comida casera o preferís (ir) .... a un restaurante que yo (conocer) .... donde hacen fusión de comida mediterránea y japonesa?

RECUERDA
Usamos **indicativo** cuando conocemos la existencia del antecedente (la persona, la cosa o el lugar que estamos definiendo o del que estamos explicando sus características). Y usamos **subjuntivo** cuando no conocemos la existencia de dicho antecedente.

b. ▶ **Elige la opción adecuada, infórmate y relaciona.**

UN DULCE PARA CADA OCASIÓN

Cualquier fiesta que *quiere/quiera* ser importante debe ir asociada con una comida o una bebida. En España, cada festividad tiene su plato típico, alimentos que solo se *comen/coman* un día o unos pocos días al año. Un ejemplo de ello son los postres o dulces típicos de cada festividad.

En Navidad se comen muchos dulces, entre los que destacan los turrones, cuyo ingrediente principal *es/sea* la almendra. En los últimos días de esa fiesta, quien *desea/desee* celebrar como un español el Día de Reyes deberá comer el delicioso roscón, que esconde un regalo en su interior.

En Semana Santa se preparan, con el pan del día anterior, leche, canela y azúcar, las torrijas y, también ricas en azúcar, pero azúcares naturales, son las frutas que se *disfrutan/disfruten* durante los meses de junio, julio y agosto, en las macedonias o ensaladas de frutas.

Según el país donde nos *encontramos/encontremos*, podremos vivir unas fiestas u otras y, por tanto, unas comidas u otras. En España no está muy arraigado Halloween. Su lugar lo ocupa el Día de los Santos, el 1 de noviembre, día en que se comen los buñuelos de viento, masa frita rellena de crema, chocolate, puré de castañas u otros rellenos.

Y en todas las grandes fiestas familiares se termina con postres caseros que, aunque proceden de distintas regiones, ya *están/estén* plenamente incorporados a las tradiciones familiares de todo el país, como la crema catalana, la ensaimada de Mallorca, la tarta de Santiago, el arroz con leche asturiano o la miel sobre hojuelas manchega.

Las torrijas...	... es una masa frita rellena de cremas...	... y se comen en verano.
Las macedonias de frutas...	... tiene un regalo dentro...	... y se come el Día de Reyes.
Los turrones...	... se preparan con pan...	... y se comen el Día de los Santos.
El roscón...	... se hacen, principalmente, con almendras...	... y se comen en Navidad.
Los buñuelos de viento...	... son ricas en azúcares...	... y se comen en Semana Santa.

3

Cuenta cuáles son las festividades y cómo es la gastronomía de tu país

▶ **¿Qué fiestas del texto anterior se celebran en tu país? ¿Se come lo mismo en tu país esos días? ¿Qué otras fiestas importantes de tu país están asociadas a una comida tradicional? ¿Cuál es el menú o el plato que se come en cada una?**

En Suecia, en la fiesta de Midsommar comemos arenques, que se preparan...

Pues nosotros, en Estados Unidos, el Día de Acción de Gracias solemos comer pavo, para el que se necesita...

1 Comprende un artículo, conoce la nueva cocina española y opina

a. ▸ **Lee este artículo que una chica malaya envió a una revista gastronómica contando su experiencia y responde.**

Blogs ABC

Actualidad | Artes | Ciencia, Tecnología e Internet | Corresponsales | Delegaciones | Deportes | Economía
Familia y educación | Gente Estilo | Medios | Ocio | Videoblogs

Buscar | Buscar

Soy malaya y, como todos mis compatriotas, iré donde sea para comer bien. Cualquier malayo tímido que conozcas cambiará totalmente cuando hable de comida. Ese es, precisamente, el origen de mi aventura gastronómica por España.

Leo y veo vídeos sobre cocina bastante a menudo, por eso, desde siempre había tenido ganas de ir a San Sebastián, ya que tenía entendido que era la ciudad donde se encontraba la comida más rica y algunos de los restaurantes de alta cocina más reconocidos del mundo y yo, en cierto momento de mi viaje, tuve la suerte de visitar cuatro de ellos: Akelarre, Arzak, Asador Etxebarri y Mugaritz.

Creo que los clientes van a estos restaurantes para tener una experiencia global. En mi opinión, estos restaurantes tienen algunas características en común:

1. Sus platos no son solo buenos, además son sorprendentes y combinan sabores y formas increíbles. En Akelarre, por ejemplo, nuestro aperitivo fue una selección de quesos crema, pan con aceite de oliva y zumo espumoso de frambuesa, pero lo presentaron como artículos de aseo. En el Asador Etxebarri fue una bola de mantequilla ahumada. En Mugaritz, comimos patatas hervidas que parecían una piedra.

2. El servicio es insuperable y muy acogedor. En Arzak y Akelarre, sus sumilleres nos enseñaron sus bodegas y, después de nuestra cena, Juan Mari y Elena Arzak salieron para saludarnos y agradecernos la visita. En Mugaritz nos sorprendió la gran idea de ofrecer cepillos y pasta de dientes para que los clientes se lavaran los dientes antes de los postres y al terminar la comida...

3. El ambiente es algo especial y la localización es hermosa. El Asador Etxebarri está escondido entre los valles del País Vasco y en Mugaritz almorzamos mientras disfrutábamos del sol en un patio grande y floreado.

No obstante, la alta cocina es solamente una de las formas que la comida española tiene para presentar su riqueza a todo el mundo. Me parece igualmente espectacular la cocina casera española, con sus platos tradicionales que pasan de una generación a otra, y que usan ingredientes locales, frescos y de calidad.

Los españoles prestan mucha atención y están muy orgullosos de su comida. Por lo tanto siempre tengo la seguridad de comer muy bien cuando voy a España y siempre tengo ganas de volver a cualquier parte de este país, para probar, disfrutar, descubrir y dejarme sorprender en los restaurantes modernos o en las tabernas viejas.

La comida para mí significa compartir momentos especiales y crear recuerdos inolvidables con viejos y buenos amigos. Lo que se come será aún mejor si se come con gente querida. La rica cocina española se disfruta normalmente compartida, y por eso, supongo, tiene un lugar tan especial en mi corazón.

Pai Pin Tay
(Kuala Lumpur, Malasia)

1. ¿Por qué empezó, según explica la autora del artículo, «la aventura gastronómica por España»?

2. ¿Por qué conocía Pai Pin que en San Sebastián había buenos restaurantes?

3. ¿Qué tres características tienen, según la opinión de la autora, los restaurantes de alta cocina?

4. ¿Prefiere Pai Pin los restaurantes de alta cocina a los de comida tradicional?

5. ¿Por qué motivos le gusta la cocina española y comer en España a la autora del texto?

b. ▶ **¿Con cuál de las reacciones al texto estás más de acuerdo?**

La nueva cocina es un lujo absurdo de ricos

La nueva cocina es una moda, como cualquier otra

La nueva cocina es un arte maravilloso

La nueva cocina es una experiencia inigualable

2 Descubre el significado de algunos adjetivos según su posición

a. ▶ **Localízalos en el texto y marca qué significado tiene cada adjetivo según su posición.**

Gramática

¡ATENCIÓN! *Bueno* y *grande*, cuando van antes del sustantivo, se transforman en *buen* y *gran*.

Adjetivos	Significados	Colocación	
		Antes del nombre	Después del nombre
Alto/a	Excelente, de gran categoría		
	De gran altitud o estatura		*El restaurante era precioso, de techos altos y decoración minimalista.*
Bueno/a	Auténtico, valioso, profesional		
	Que tiene bondad, calidad		
Cierto/a	Verdadero, seguro		*Pude comprobar que todo lo que había leído era información cierta.*
	Determinado		
Grande	Que tiene un tamaño superior al normal		
	De buena calidad e importancia		
Rico/a	Muy variado		
	Que tiene muchas cualidades positivas o que es muy sabroso		
Viejo/a	Antiguo		
	Desde hace mucho tiempo y bueno		

b. ▶ **Subraya la posición del adjetivo que corresponde a cada frase. Luego, cambia las frases para que correspondan a la otra posición.**

1. Es un cocinero muy conocido y muy importante en todo el mundo. ═ Es un [gran] cocinero [grande].

2. Fui a cenar con unos compañeros muy mayores y lo pasamos muy bien. ═ Fui a cenar con unos [viejos] compañeros [viejos] y lo pasamos muy bien.

3. Es un camarero muy profesional. ═ Es un [buen] camarero [bueno].

4. En un momento concreto de la cena salió el chef a saludarnos. ═ En [cierto] momento [cierto] salió el chef a saludarnos.

5. En el restaurante el techo de la cocina está a casi 4 metros. ═ En el restaurante tienen una [alta] cocina [alta].

3 Escribe una experiencia gastronómica

▶ **Siguiendo el modelo de Pai Pin Tay, elige uno de estos tres temas y escribe un texto con tu experiencia.**

El restaurante más original donde he comido

Celebrar mi cumpleaños con una cena: ¿en casa o en un restaurante?

Mi peor experiencia en un restaurante

Paso 4

Repasa y conversa

La comida que no puede faltar

1 Repasa las oraciones relativas

a. ▸ **Relaciona.**

1. ¿Tienes una sartén...	quien
2. Con esos chicos es...	cuyo
3. Este es el documental sobre *sushi*... Ø	quienes
4. Buscaban los ingredientes... con	cuya
5. Mi madre fue...	la que
6. Esta es la fruta...	los que

a. pudieran hacer ese plato de su país.
b. carne se usa para la salsa.
c. estuve en San Sebastián de pinchos.
d. me enseñó a cocinar.
e. pueda hacer la tortilla?
f. director habló en el Festival de Cine y Gastronomía Japoneses.

b. ▸ **Completa con indicativo o subjuntivo.**

1. Este restaurante, que (conseguir) .... una estrella Michelin en 2007, es excelente.
2. Querían alquilar un coche con el que (poder) .... viajar juntos y hacer el viaje gastronómico que habían planificado.
3. Este es el bar cuyos camareros (estar) .... en mi boda sirviendo. ¿Te acuerdas?
4. Me encantaría encontrar, por fin, a quien (encargarse) .... de la cocina del nuevo restaurante del centro.
5. Este artículo habla precisamente de los productos de los que (hablar) .... nosotros cuando estuvimos en aquella cooperativa de agricultores.
6. Este es el libro de recetas cuyos autores (dar) .... la conferencia sobre alimentos transgénicos en Madrid.
7. ¿Conoces algún buen restaurante que no (ser) .... muy caro en el que (poder) .... organizar la fiesta sorpresa para los abuelos?
8. Les dije que quienes (querer) .... venir a cenar tenían que apuntarse en la lista.

2 Repasa y amplía el vocabulario de la comida y las expresiones

a. ▸ **Completa con los alimentos.**

Espaguetis   Langostinos   Nueces   Almejas   Miel   Mango

Mejillones   Almendras   Hamburguesa   Berenjena   Queso azul   Cerezas

1. Cuando estuvimos en Málaga probamos una sopa de mariscos que tenía ...., ... y ....
2. Me gusta mucho la fruta. Pero mis dos frutas favoritas son el .... y las ....
3. El roquefort es un .... que es bastante fuerte. A mí me encanta y lo uso para la *pizza* y la pasta. Por ejemplo, preparo unos .... con roquefort buenísimos.
4. Me duele el estómago porque ayer durante el partido de fútbol comimos muchos frutos secos: ...., pistachos, ..., etc.
5. En esa cafetería los niños siempre piden una .... doble con queso.
6. La .... se come mucho en los países mediterráneos. En Italia, en Grecia y en Turquía hay platos buenísimos.
7. El médico me dijo que era bueno tomar té con .... para mis problemas de garganta.

b. ▶ **Escucha y di a qué restaurante quiere ir cada uno y señala por qué.**

(Amaya)   (Juan Antonio)   (Enrique)   (Inma)   (Penélope)

Asador
argentino

Don Diego

Carnes asadas
Empanadas

Especialidad
en dulces

RESTAURANTE VEGETARIANO

RÚCULA

TAPAS · MENÚS · BATIDOS

Mañanitas

Restaurante mexicano

Burritos, fajitas, quesadillas...
¡y el mejor guacamole!

Tapas
Casa Pepe

• Habas con jamón • Mejillones tigre
• Gazpacho • Ensaladilla rusa
• Champiñones

Bufé libre PASTA Y PIZZA

Come toda la pasta y toda la *pizza* que

quieras por **12 €**

Bebida no incluida

a) Porque le encantan los alfajores argentinos.	a) Porque las tapas son originales.	a) Porque le gusta la comida picante.	a) Porque hace mucho tiempo que no come tapas.	a) Porque le encanta la pasta.
b) Porque quiere comer carne.	b) Porque es vegetariano.	b) Porque nunca ha ido a un restaurante mexicano.	b) Porque le apetece un plato español.	b) Porque no tiene mucho dinero.

3 **Recuerda y amplía** los adjetivos

a. ▶ **Lee y completa.**

1. En el concurso de tapas, el .... puesto fue para una tapa de arroz con pimientos, que ganó 600 euros, el segundo puesto fue para una de pollo con mango, y consiguó 800 euros, y el .... puesto, y ganador de 1 200 euros, fue para un gazpacho de cerezas.

2. Es un restaurante muy bonito que tiene un patio muy ...., con casi 1 000 metros cuadrados.

3. El profesor del curso de cocina es un .... chef que tiene mucha experiencia.

4. No me gusta este plato, está muy .... o no está bien preparado.

5. Hoy ha sido un .... día: hemos perdido el autobús, hemos llegado tarde al trabajo y se nos ha quemado la comida.

> Estos adjetivos cambian la forma si van antes o después del sustantivo:
> ● Antes: **gran, buen, mal, primer, tercer...**
> ● Después: **grande, bueno, malo, primero, tercero...**

b. ▶ **Elige el lugar adecuado del adjetivo en cada frase para que no cambie el significado.**

1. No es el chef jefe, es un cocinero del equipo. = No es el chef jefe, es un [simple] cocinero [simple].

2. Es un restaurante con platos innovadores y sofisticados. = Es un restaurante de [alta] cocina [alta].

3. No estaba mal, pero era un edificio muy antiguo. = No estaba mal, pero era un [viejo] edificio [viejo].

4. Nos dio la información correcta. = Nos dio la [cierta] información [cierta].

5. Es un restaurante enorme, pero la comida es muy común. = Es un [gran] restaurante [grande].

4 ¿Cuál es el alimento más importante y característico de tu país? ¿Cuándo y cómo se come? Cuéntalo, pero antes, prepárate.

a. ▸ El jamón ibérico es un alimento exquisito que no puede faltar en las ocasiones especiales en España. Lee y comenta.

No puede faltar el jamón

El jamón ibérico no puede faltar en España en una ocasión especial. Un plato de un buen jamón ibérico en la mesa es algo más que una comida más: es un signo de distinción, de calidad, de estar viviendo un acontecimiento importante. No nos podemos imaginar un cumpleaños, un aniversario, una boda, la cena de Nochebuena o, incluso, un partido importante de la selección española de fútbol sin un plato de jamón ibérico. Un buen restaurante sin jamón ibérico o platos cocinados con él en su carta será difícil de encontrar.

Pero no cualquier jamón es jamón ibérico. Joselito es probablemente el mejor jamón del mundo. Es un cerdo ibérico puro, es decir, de padre y madre de raza ibérica, raza de cerdo negro exclusiva de la península ibérica que proviene del jabalí, y además cumple estas cuatro características:

- Realiza ejercicio constante mientras busca alimento y agua.
- Su edad al abandonar las dehesas -los campos de Salamanca donde vive- ronda los 2 años.
- El cerdo, con esta edad, pesa entre 170 y 190 kg.
- Tiene una gran capacidad para infiltrar grasa dentro de los músculos.

Pero el jamón Joselito Gran Reserva tiene una producción anual limitada, que está condicionada por las condiciones climáticas y la cantidad de bellotas en las dehesas. El jamón Joselito Gran Reserva, como joya de alta gastronomía, ha sido ensalzado por los mejores críticos a nivel mundial. Asimismo, ha sido reconocido en Europa, Asia, y América donde se exporta a los mejores restaurantes y tiendas especializadas. En este sentido, chefs de gran reputación en el ámbito culinario internacional ya utilizan este producto único en sus recetas, lo que lo convierte en protagonista de la gastronomía española.

¿Y cómo se puede saber que un jamón es un buen jamón ibérico? Además de lo anteriormente comentado sobre la raza pura, por el color: la grasa debe ser rosácea, de consistencia blanda y untuosa. La carne, entre rojo púrpura y rosa pálido. Por el tacto, la grasa se debe fundir al rozarse con los dedos. Por el olor, aromas intensos y suaves a la vez. Por el sabor suave, delicado, ligeramente dulce. La grasa se funde en el paladar, con una jugosidad notable.

Adaptado de *joselito.com*

b. ▸ ¿Hay algún alimento o alguna comida en tu país que sea tan importante, por su calidad y su importancia social, como el jamón ibérico en España? ¿Cuándo y cómo se come?

◯ Arroz ◯ Salmón ◯ Caviar ◯ Ostras ◯ Patata Queso ◯ Maíz

c. ▸ Habla con tus compañeros: ¿qué importancia social tiene la comida en tu país o en tu cultura?

En las celebraciones familiares   A la hora de hacer negocios   Como parte de fiestas y tradiciones

Debate sobre la relación entre la educación y la vida laboral

Paso 1 Escucha y cuenta	ideas para un nuevo negocio.
Paso 2 Comprende e interactúa	sobre los trabajos ideales.
Paso 3 Lee y escribe	cuál es tu trabajo idóneo.
Paso 4 Repasa y conversa	de la relación entre la educación y el empleo.

Paso 1
Escucha y cuenta
Ideas para una nueva empresa

1 **Comprende unas opiniones sobre el difícil acceso al mundo del trabajo**

a. ▸ **Escucha a estos jóvenes y toma nota de la opinión de cada uno.**

Lo más difícil es...

Lo frustrante es...

Lo recomendable sería...

Lo único bueno es...

Lo preocupante es...

b. ▸ **Escucha de nuevo si lo necesitas y define.**

Oposiciones →	*es tan completo*
Bolsa de trabajo →	
Precariedad laboral →	
Inestabilidad laboral →	*Horas cortas*
Acceso al mundo del trabajo →	
Contrato basura →	
Tasa de desempleo juvenil →	*muy bajo*
Trabajo estable →	

2 **Fíjate en los usos de *lo***

▸ **Observa la explicación y completa estas experiencias con alguna de las expresiones del cuadro. Después, comenta con tus compañeros cuáles son las ventajas e inconvenientes del autoempleo.**

> **Gramática**
>
> **LO + ADJETIVO**
> Para valorar o describir situaciones usamos el pronombre neutro *lo* con un adjetivo.
>
> Lo bueno • Lo mejor • Lo malo • Lo peor • Lo aconsejable • Lo recomendable • Lo preocupante
> • Lo arriesgado • Lo positivo • Lo negativo • Lo peligroso • Lo raro • Lo extraño

Hace unos días leí que en EE. UU. el 65 % de los jóvenes se autoemplea, que en Europa es un 40 % y que aquí, en España, es un 3 %. Es normal, yo, la verdad, no me habría autoempleado: primero, requiere mucha disciplina; después, ... es que arriesgas en lo económico y en lo personal y que tienes que resolver tú mismo los problemas que surjan..., pero no me ha quedado otra opción. Y sigo pensando que aquí es muy duro ser autónomo.

.... es salir de la situación de desempleo y comenzar a tener ingresos. De tener esta información antes, lo habría agradecido. Por mi experiencia .... es que tengas una idea clara y concreta y que estés seguro.

Ahora soy mi propio jefe y estoy encantado. De hecho, me habría hecho autónomo mucho antes y me habría ahorrado problemas con algunos jefes que he tenido. Cuando las ofertas de trabajo disminuyen, ser trabajador autónomo es una buena solución. .... es que eres tu propio jefe, tienes libertad.

Para mí, ... es la satisfacción personal y conseguir algún tipo de reconocimiento personal y profesional que nunca habría tenido de ser empleado. .... es que no hay muchas ayudas del Gobierno y que tienes que hacer tareas que en otros trabajos no son tu responsabilidad.

Ventajas del autoempleo	Desventajas del autoempleo
No hay un jefe tu puedes elegir tus horas	no hay muchas ayudas es un trabajo dificil tu tienes muchas responsibilidad

Gramática

CONDICIONAL COMPUESTO

(yo)	habría	
(tú, vos)	habrías	
(él, ella, usted)	habría	+ participio
(nosotros/as)	habríamos	
(vosotros/as)	habríais	
(ellos, ellas, ustedes)	habrían	

3 Descubre el condicional compuesto

a. ▸ Fíjate en la tabla, conoce el nuevo tiempo y señala en los textos de la actividad anterior ejemplos para entender su uso.

b. ▸ Subraya la forma adecuada.

1. Dejé los estudios, pero ahora me *gustaría/habría gustado* retomarlos. Quizá me lo plantee.
2. Me *encantaría/habría encantado* trabajar en una empresa como Google cuando empezó.
3. Yo *volvería/habría vuelto* a mi país, pero no habría posibilidad de encontrar ningún trabajo.
4. El puesto de trabajo me gustaba... De hecho, me *apuntaría/habría apuntado* a esa oferta de empleo, pero con mi CV seguro que no me iban a elegir, así que no lo hice...
5. El Gobierno *debería/habría debido* dar más ayudas a los jóvenes empresarios para abrir sus negocios.

4 Presenta tus ideas para un nuevo negocio

▸ ¿Prefieres trabajar en una empresa o ser emprendedor y tener tu propio negocio? ¿Por qué? ¿Tienes alguna idea que crees que podría funcionar para montar tu propia empresa?

Paso 2
Comprende e interactúa
Los trabajos ideales

1 Comprende un texto sobre las profesiones de hoy

a. ▸ Lee y coloca cada profesión en el lugar adecuado del texto. Después, responde.

| Director de sostenibilidad | Coordinadores de trabajo a distancia | Consultor educativo | Coordinador de servicios de cuidados a personas mayores | *Community manager* |

Portada EcoDiario **ecoteuve** EcoMotor EcoAula Ecoley Evasión Ecotrader elMonitor Ecopymes In English América ▾ ¿Usuario de elEconomista? **Conéctate** ⊙

Elija su edición España | América ▾

eE kiosco **Kiosco eE: Diario y revistas**
Acceda al diario elEconomista, sus suplementos y revistas digitales

elEconomista.es
Viernes, 21 de Junio de 2013 Actualizado a las 11:43
f ⟳ g+

Buscar noticias, acciones... **Buscar**
Ofrecido por ⚡ IBERDROLA

Portada | Mercados y Cotizaciones ▾ | Empresas ▾ | Economía | Tecnología ▾ | Vivienda | Opinión/Blogs ▾ | Autonomías ▾ | Servicios ▾ | Diario y Revistas ▾

Ibex35 | Continuo | Índices | Divisas | M.Primas | Agenda | Fondos | Tu dinero | Emprender | Destacados: EcoDiario Global España Deportes Golf Ágoras Campus

IBEX 35 ▲ 0,61% | I. GENERAL DE MADRID ▬ 0,00% | ECO10 ▲ 0,39% | DOW JONES ▼ -2,34% | EURUSD ▲ +0,19% | BRENT ▲ +0,62% | EURIBOR ▲ +1,98% | **Editar**

| IBEX **7.869,80** ▲ 0,61% | EUR/USD **1,3226** ▼ -0,02% | EURO STOXX 50® **2.605,13** ▲ 0,72% | DAX 30 **7.963,71** ▲ 0,44% | CAC 40 **3.733,70** ▲ 0,94% | FTSE 100 **6.213,47** ▲ 0,88% | FTSE MIB INDEX **15.657,46** ▲ 0,70% | PSI 20 **5.693,75** ▲ 0,83% |

LAS PROFESIONES MÁS DEMANDADAS DE HOY NO EXISTÍAN HACE 10 AÑOS

Las cosas han cambiado muchísimo en tan solo diez años. Y es que han aparecido nuevas profesiones que jamás pensamos que podrían llegar a existir, pero que hoy en día son totalmente imprescindibles. ¿Quieres conocer esos trabajos que en la actualidad son algunas de las profesiones más demandadas?

1. ....: Si te gustan las redes sociales, esta es tu profesión. El encargado de gestionarlas se ha vuelto una figura fundamental prácticamente en cualquier empresa, especialmente en las multinacionales.

2. ....: Si buscara tener el trabajo asegurado, estudiaría esta profesión sin dudarlo ya que, si algo está claro es que, pase el tiempo que pase, la población continúa envejeciendo.

3. ....: Si hay algo que ha permitido Internet, es la posibilidad de trabajar a distancia. Por ello, la figura del coordinador de trabajos a distancia es totalmente necesaria en la sociedad actual, algo impensable hace diez años cuando Internet estaba empezando a ser usado por las personas de a pie.

4. ....: Si deseas mejorar el futuro del planeta, debes estudiar esta nueva carrera. El reciclaje y la necesidad de cuidar el medio ambiente en general no eran tan necesarios hace diez años, momento en el que no se valoraba tanto como ahora la importancia de cuidar el planeta Tierra. Cada vez más empresas tienen este puesto en sus plantillas.

5. ....: Si quisiera sentirme útil a la sociedad, haría esta especialidad. Su principal cometido es encargarse de reunir a niños y a sus familias para ayudar a los pequeños (y no tan pequeños) a encontrar cuál es la mejor forma de estudio.

Adaptado del economista.es

---

b. ▸ Lee otra vez y señala si las siguientes afirmaciones son verdaderas o falsas.

V F

1. Hace una década los trabajos con más éxito no existían.

2. *Community manager* es una profesión muy solicitada por empresas a nivel nacional.

3. Coordinador de servicios de cuidados a personas mayores es una profesión sin paro.

4. La profesión de coordinador de trabajo a distancia fue la primera profesión que surgió tras la llegada de Internet.

5. El cargo de director de sostenibilidad era impensable hace una década, ya que no hacía falta.

6. Ser coordinador educativo tiene que ver no solo con la educación de los más pequeños, sino también con sus familiares.

2 Reflexiona y conoce las oraciones condicionales

a. ▸ **Busca ejemplos en el texto anterior y completa el siguiente cuadro.**

Gramática

Significado	Estructura	Ejemplos
Condición posible	*Si* + presente / presente, futuro, imperativo	*Si no tienes claro qué hacer con tu vida y te gustan las redes sociales, estudia* community manager.
Condición poco probable	*Si* + imperfecto de subjuntivo / condicional simple	

b. ▸ **Completa las siguientes frases según su grado de probabilidad.**

1. Si invirtiéramos más recursos en energías renovables, no (tener) .... problemas de contaminación.

2. Si te especializas en las nuevas tecnologías, (tener) .... menos problemas para entrar en el mercado laboral.

3. Aprended idiomas si (desear) .... trabajar en el extranjero o para una multinacional.

4. ¿Si tuvierais veinte años menos (elegir) .... otro trabajo?

5. Si hubiera un sistema educativo mejor, (haber) .... menos fracaso escolar.

6. Ahora tendríamos jóvenes mejor preparados si el Gobierno (destinar) .... un mayor presupuesto en educación.

7. Paco, ¿estudiarías lo mismo si (volver) .... a la universidad?

3 Interactúa e imagina los trabajos de tus sueños

a. ▸ **Relaciona los términos con las fotografías.**

1. mercado laboral   2. nuevas tecnologías   3. carrera de Ciencias   4. paro   5. jubilación

   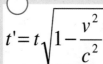 

$$t' = t\sqrt{1 - \frac{v^2}{c^2}}$$

b. ▸ **Agrupa las siguientes frases según su grado de probabilidad.**

Estudiaría Física si fuera mejor en Ciencias.

Tengo que dedicar más tiempo a las nuevas tecnologías si quiero mejorar en mi profesión.

Tienes que ver qué es lo que más demanda el mercado si quieres tener éxito en tu vida laboral.

Si me especializara en *community manager*, tendría más posibilidades de encontrar trabajo.

Condición posible	Condición poco probable
	Estudiaría Física si fuera mejor en Ciencias.

c. ▸ **Elige uno de los dos temas y coméntalo con tus compañeros.**

¿Qué trabajo te gustaría tener en el futuro?

Si te tocara la lotería, ¿seguirías trabajando? ¿Te dedicarías a viajar? ¿Estudiarías algo?

1 Lee y comprende el sistema laboral español

a. ▸ Relaciona los siguientes conceptos del ámbito laboral con su definición.

Convenio colectivo

Prestación por desempleo

Edad de jubilación

Salario mínimo interprofesional

Subsidio de desempleo

Despedir

Sindicato

- Acción a través de la cual un empleador da por finalizado unilateralmente un contrato laboral con su empleado.
- Es el sueldo mínimo legal que un trabajador puede cobrar independientemente de la dedicación profesional de la persona.
- Ayuda económica que se libra a aquellos parados que no tienen derecho a la prestación por desempleo.
- Acuerdo entre representantes de las empresas como los representantes de los trabajadores como resultado de una negociación colectiva en materia laboral.
- Organización integrada por trabajadores en defensa y promoción de sus intereses sociales, económicos y profesionales relacionados con su actividad laboral.
- La media global es de 65 años.
- Es una prestación, a la cual se tiene derecho en determinadas situaciones de pérdida del trabajo. Su duración y cuantía están determinadas por el tiempo que el trabajador haya cotizado por desempleo en el régimen de la Seguridad Social.

b. ▸ Completa con los términos de la actividad anterior.

1. Acaban de decir por la radio que la ………………............... disminuirá al tercer mes de paro. Sin embargo, el ………………............... se mantendrá igual para aquellos que lo hayan agotado.
2. Si te ………………............... de forma irregular, siempre puedes ir al ………………..............., ellos se encargarán de defenderte.
3. La ………………............... ha aumentado en dos años, de los 65 a los 67, debido, dicen, a la crisis económica.
4. Si quieres saber cuáles son tus derechos laborales, debes acudir al ………………..............., allí se especifican los detalles de tu contrato de trabajo.
5. En España, el ………………............... es de 641 € al mes.

2 Comprende un texto y descubre otras formas de condición

a. ▸ Lee el siguiente texto, ponle un título y comenta qué es lo que más te sorprende.

> Junto al día de pago, el aumento anual de sueldo o la bonificación que dos veces al año reciben los trabajadores, el período de vacaciones es uno de los momentos más esperados en las oficinas. Este derecho laboral tiene como principal objetivo prevenir el estrés y otros síntomas que puedan causar consecuencias sobre la salud de las personas.
>
> En este aspecto existen unos trabajadores más afortunados que otros, generalmente los trabajadores europeos son los que más días tienen de descanso al año:
>
> - Alemania, Francia, Finlandia y Suecia: 30 días hábiles.
> - Brasil, Panamá y Perú: 30 días de corrido.

- Reino Unido y Lituania: 28 días hábiles.
- Holanda y Cuba: 24 días hábiles.
- España: 22 días hábiles.

Por su parte, los países latinoamericanos en conjunto tienen casi los mismos 15 días hábiles de vacaciones, exceptuando a los antes mencionados y a Uruguay cuyos días de descanso son 20.

Los menos beneficiados

Entre los países con menos días de vacaciones se encuentran los asiáticos, en los cuales los días de vacaciones llegan a 10 e incluso en países como China, las vacaciones no son obligatorias:

- Estados Unidos y Japón: habitualmente tienen 10 días hábiles.
- México: 6 días hábiles y se aumenta 2 días por cada año trabajado hasta llegar a 12 días.

Generalmente en los países que se encuentran en el hemisferio norte las vacaciones se dan entre julio y agosto; mientras que en el hemisferio sur, en enero y febrero, para que coincida con el verano.

Adaptado de elempleo.com

b. ▶ **Lee la explicación y elige la opción correcta en cada caso.**

1. De *trabajar/trabajaría* en Alemania, *tendría/tuviera* más días de vacaciones.
2. En Argentina hay dos semanas de vacaciones, *excepto que/excepto si* hayas trabajado más de diez años en la empresa.
3. En Japón, *a no ser que/a no ser de* trabajes para una compañía europea, tienes derecho a *10/15* días hábiles.
4. No me importaría trabajar en cualquier lugar del mundo, *siempre/siempre que* tenga unas vacaciones razonables, como por ejemplo en Venezuela donde disfrutan de *15/20* días *hábiles/de corrido*.
5. Me tomaría las vacaciones en septiembre *a condición de/a condición de que* me las *paguen/pagarían*.
6. Si *fuera/soy* costarricense, *disfrutaría/habría disfrutado* de 15 días de vacaciones al año.
7. Nunca trabajaría en una empresa que no me concediera vacaciones, *salvo que/salvo* me *pagaran/pagarían* un salario increíble.

CONDICIONALES
Gramática

Condicionales con de

De + infinitivo = Si + imperfecto de subjuntivo.
Ejemplo: De tener mejor currículum, intentaría conseguir ese trabajo = Si tuviera mejor currículum, intentaría conseguir ese trabajo.

Para expresar condiciones imprescindibles
Siempre que; siempre y cuando; con tal de que; a condición de que.
La condicional posible va en presente de subjuntivo.
Ejemplo: Abriremos el negocio, siempre que tengamos el dinero suficiente.

Las condicionales poco probables o imposibles se forman igual que con el conector *si*.
Ejemplo: Ampliaríamos el restaurante, siempre y cuando consiguiéramos un nuevo socio.

Para expresar que la condición es una excepción
A no ser que; excepto que; salvo que.
La condicional posible va en presente de subjuntivo.
Ejemplo: Compraremos el local para nuestra tienda, excepto que suban el precio.

Las condicionales poco probables o imposibles se forman igual que con el conector *si*.
Ejemplo: Ellos habrían contratado a otra persona, salvo que hubieran aumentado las ventas.

3

Escribe tu opinión sobre el trabajo idóneo

▶ **Primero, elige tu situación actual. Luego, escoge un tema y escribe tu opinión.**

Estoy trabajando actualmente	
De poder cambiar de trabajo, ¿lo harías o seguirías en el que tienes actualmente?	¿Te gustaría cambiar algo de tu trabajo si tuvieras la oportunidad? ¿Y hay algo que mantendrías igual?

No estoy trabajando actualmente	
De poder escoger, qué condiciones debería tener el trabajo perfecto.	De tener capacidad de decisión, ¿cuáles serían las condiciones ideales de vacaciones para los trabajadores de tu país?

Paso 4
Repasa y conversa
sobre educación y empleo

1 Repasa y amplía el vocabulario del mundo del trabajo

a. ▸ Relaciona las dos partes de las definiciones y di qué palabra describen.

> Oposiciones • Bolsa de trabajo • Precariedad laboral • Autoempleo • Contrato basura
> • Tasa de desempleo juvenil • Trabajo estable • Acceso al mundo del trabajo

1. Es un procedimiento de selección que consiste en...

2. Es una actividad profesional creada y ejercida...

3. Se le llama así a un contrato de trabajo...

4. Listado que tiene una empresa privada o pública...

5. Puesto de trabajo fijo o que, al menos,...

6. Situación en el trabajo...

7. Porcentaje de personas entre 18 y 30 años...

8. Entrada, por primera vez,...

a. ... de poca estabilidad o duración.

b. ... donde se inscriben los candidatos para un puesto de trabajo según su preparación y las necesidades.

c. ... que se encuentran sin trabajo.

d. ... por el propio individuo. A esta persona se la llama *autónomo*.

e. ... a la vida laboral.

f. ... la realización de una o varias pruebas para que los candidatos al puesto de trabajo demuestren su competencia.

g. ... de malas condiciones, inestable, baja remuneración, etc.

h. ... dota de estabilidad a la persona en cuanto a la duración y a lo económico.

b. ▸ Completa con las palabras y expresiones del cuadro. Luego, relaciona para completar la información de cada frase.

> convenio colectivo • salario mínimo interprofesional • despido • edad de jubilación
> • subsidio por desempleo • mercado laboral • sindicatos

1. Por ley, ningún trabajo puede ser remunerado con una cantidad inferior al ....,

2. Los políticos están planteando subir la .... de los 65 a los 67 años,

3. Este año van a revisar el .... de la educación y van a cambiar algunos puntos, como la duración de la jornada laboral y el salario,

4. Me encantaría trabajar en España, pero el .... está muy difícil actualmente,

5. Los .... han convocado una huelga general para el próximo 19 de mayo,

6. Mi hermana va a denunciar a su jefe por .... ilegal. No le avisó con la antelación que dice la ley,

7. El .... es una ayuda que se da a las personas que han perdido su trabajo involuntariamente y cumplen unos requisitos determinados,

a. a pesar de que la mayoría de los maestros lo son por oposición.

b. contra la tasa de desempleo juvenil tan alta.

c. pero esa medida puede retrasar el acceso al mundo del trabajo para los jóvenes.

d. pero no para los autónomos, es decir, a los que tiene autoempleo.

e. por muy contrato basura que sea.

f. y eso que tenía un trabajo estable.

g. y las bolsas de empleo de las empresas están llenas de solicitudes.

2 | **Repasa** las oraciones condicionales

a. ▷ **Completa con los verbos en la forma adecuada.**

1. Si aceptara ese trabajo, (ganar) .... el doble de lo que gano ahora.
2. Si (tener) .... vacaciones en verano, iríamos a Costa Rica. Es un país que me encantaría conocer.
3. Si vuelves a la ciudad, por favor, (llamar) ....me y quedamos para hablar de nuestras cosas, de los negocios, etc. ¿De acuerdo?
4. Si conocierais a mi jefe, (entender) .... mejor lo que digo.
5. Si el sueldo (ser) .... un poco más alto, sería el trabajo perfecto.
6. Por las tardes, si tengo tiempo después del trabajo, me (gustar) .... pasear por el paseo marítimo o jugar con los niños. Es la mejor forma para desconectar.
7. A no ser que me (tocar) .... la lotería, no podré irme de vacaciones.
8. Si nuestros socios (traer) .... nuevas ideas, todo sería más fácil... Actualmente, nosotros tenemos que hacer todo el trabajo...

b. ▷ **Completa con alguna expresión condicional.**

1. Nunca trabajaría en otro país, ... me pagaran el doble.
2. No me importaría cambiar de empresa, ... me permitieran tomarme las vacaciones en agosto.
3. .... tener más experiencia en mi profesión, podría optar a otro empleo mejor remunerado.
4. .... aumenten el salario mínimo interprofesional, mucha gente continuará en una situación de precariedad laboral.
5. .... me dieran un buen trabajo, me iría a donde sea.
6. .... existiera la posibilidad de ascender en mi empleo, la aprovecharía sin dudarlo.
7. No cambiaría mi lugar de residencia, ... no tuviera otra opción posible.
8. .... no cambien el convenio laboral, nuestro sector seguirá siendo de los mejor pagados.

c. ▷ **Completa las siguientes frases.**

1. Para que las empresas no fracasen,...
2. De no haber dejado mi trabajo hace tres años,...
3. Si aumentara más la inestabilidad laboral,...
4. Si estudiara más idiomas,...
5. Si me seleccionaran para ser director de mi empresa,...
6. Para solucionar el problema del paro, los gobiernos…
7. No tengo pensado montar una empresa, pero...
8. Si tuviera un trabajo estable y con un buen salario,...

3 | **Utiliza** el vocabulario sobre las nuevas profesiones

▷ **Relaciona cada definición con su profesión correspondiente.**

1. Director de sostenibilidad.
2. Coordinador de trabajo a distancia.
3. Consultor educativo.
4. Coordinador de servicios de cuidados a personas mayores.
5. *Community manager.*

a. Se trata de un cargo relacionado con las redes sociales. Su misión es la de gestionar el perfil social de una empresa en Internet.
b. Los responsables de esta profesión tratan de distribuir de forma racional el trabajo de un grupo de cuidadores de ancianos.
c. Es la persona que dirige el trabajo de un grupo de empleados que no ocupan el mismo lugar físico.
d. Esta profesión trata de ofrecer las mejores salidas a los estudiantes dependiendo de sus características individuales.
e. Es el encargado de administrar los recursos de una empresa de forma que estos no se agoten y puedan reciclarse.

Conversa

4 ¿La educación actual prepara realmente para la vida profesional? Da tu respuesta. Pero antes, infórmate y prepárate.

a. ▶ **Lee estos textos y anota tus opiniones sobre los mismos.**

Cambio en el gobierno, nuevo sistema educativo. ¿Nos suena, no? ¿Pero nadie se da cuenta de que así no vamos a ningún sitio? El sistema educativo debe ser un sistema a largo plazo y pactado por los principales partidos políticos del país. Debe ser uno de esos temas «de país», donde se requiera un amplio consenso y no se cambie a las primeras de turno. Además, debe ser un sistema totalmente adaptado al mercado de trabajo. Yo recuerdo que salí de la universidad y me dijeron «ahora que tienes la teoría, aprenderás a trabajar». Es otra de las grandes incongruencias de nuestra sociedad que debemos corregir. Se tiene que educar a trabajar, y se educa no solo transmitiendo conocimientos, sino también enseñando actitudes, habilidades y valores.

Adaptado de *alumni.blogs.eada.edu*

Like 11   +1 0   Twittear 3

La escuela desaparecerá en 20 años y pasaremos a la formación personal. Todo se puede aprender en la red. La escuela actual debe formar a personas para el futuro, no para los tiempos actuales. Nuestros alumnos están acostumbrados a la información inmediata... ellos han cambiado, pero la escuela sigue como hace muchos años. Uno de los grandes retos de la educación es conciliar el entretenimiento con el conocimiento. Sobre ello, ponentes como Robinson, Punset o Prensky discutirán en el Foro sobre Educación Global que tendrá lugar este fin de semana en Barcelona.

Adaptado de *aulatic.com*

Like 11   +1 0   Twittear 3

La transición entre la universidad y el mundo laboral puede ser difícil, ya que involucra levantarse temprano, dedicar la mayor parte de su día al trabajo, seguir un código de vestuario, pagar sus cuentas, asumir responsabilidades, desarrollar la labor bajo presión, conocer a nueva gente... Este es el «mundo real» del que tanto ha oído hablar.

Adaptado de *encontrandodulcinea.com*

Like 11   +1 0   Twittear 3

Las profesiones más demandadas en la actualidad (director de *marketing*, *community manager*, coordinador de trabajos a distancia, etc.) no existían hace tan solo diez años. Sin embargo, las carreras universitarias más solicitadas por los estudiantes siguen siendo las tradicionales (Derecho, Administración de Empresas, Medicina...). ¿Hacia dónde vamos? ¿De quién es la culpa?

Like 11   +1 0   Twittear 3   **Adaptado de** *noticias.universia.como.bo*

b. ▶ **Amplía tu reflexión con estas otras preguntas.**

- ¿En qué debería cambiar la universidad para preparar a los alumnos para el mercado laboral?
- ¿Son útiles las prácticas en empresas o se utiliza a la persona en prácticas solo para hacer fotocopias o llevar café a los jefes?
- ¿Vamos hacia un futuro sin escuela, sin universidad, tal y como la entendemos ahora? ¿En el futuro, cada uno se formará individualmente en los temas que le interesen?

c. ▶ **Expón tu opinión haciendo referencia a los textos.**

Para citar

- Como dice el primer/segundo texto...
- Estoy totalmente/plenamente de acuerdo con lo que dice el texto 3.
- No estoy de acuerdo con el autor del texto 3, donde afirma que...
- Coincido con el autor del texto 4...

- No entiendo cómo el autor del texto 2 dice/ puede afirmar que...
- Me extraña lo que dice el texto 2...
- En el texto 1, en el primer/segundo párrafo, se dice que...
- Me sorprende/Me llama la atención la noticia...

Haz predicciones sobre el futuro

Paso 1 Lee y escribe	sobre los cambios vividos en la sociedad.
Paso 2 Escucha y cuenta	el futuro de los jóvenes.
Paso 3 Comprende e interactúa	acerca de los jóvenes y la vida política.
Paso 4 Repasa y conversa	sobre el futuro.

Paso 1
Lee y escribe
Sobre los cambios en la sociedad

1 Lee un artículo y conoce los movimientos juveniles de la historia

a. ▶ Relaciona los eslóganes con los movimientos o épocas. ¿Qué crees que significa cada lema? ¿Puedes ordenarlos cronológicamente?

No hay futuro.

Vive de tus padres hasta que puedas vivir de tus hijos.

Jóvenes aunque sobradamente preparados.

Debajo de los adoquines está la playa.

Haz el ✪amor y no la guerra.

Generación nini • Movimiento *punk* • Generación X • Mayo del 68 francés • *Hippies*

b. ▶ Lee, ponle título al texto y comprueba tus respuestas anteriores.

Los distintos **movimientos** juveniles de los últimos años han supuesto un intento de revelarse y de imponer sus **ideales**, pero no siempre lo han conseguido. Algunos les critican una cierta **inmadurez**.

En los años sesenta, contrarios a la guerra de Vietnam y bajo el lema «Haz el amor y no la guerra», surgieron los *hippies*, caracterizados por una anarquía no violenta, por la preocupación por el medio ambiente y por un rechazo general al materialismo. No obstante, muchos de sus líderes son, en la actualidad, bastante **conservadores**.

A finales de esa misma década, durante los meses de mayo y junio de 1968, Francia y, especialmente, París vivieron una **revuelta** estudiantil y juvenil a la que posteriormente se unieron los **sindicatos** y provocó la mayor **huelga** general de la historia de Francia. Bajo la consigna «Debajo de los adoquines está la playa», se vivieron una serie de protestas protagonizadas por grupos contrarios al **consumismo** que conmocionó a la sociedad entera.

El *punk*, un fenómeno musical de los años setenta, derivó en un movimiento crítico con el rumbo de la sociedad contemporánea. La mayoría de los que forman parte de esta tribu urbana se declaran anarquistas y pesimistas respecto al futuro, de ahí que su lema sea «No hay futuro».

La **generación** X o los *yuppies* (conocidos en España como «jóvenes aunque sobradamente preparados») se trata de la generación nacida en la década de los 70 y mejor preparada de la historia, lo que les auguraba un brillante futuro laboral y económico. Sin embargo, los bajos sueldos, el gran número de licenciados universitarios y los cambios sociales les han dejado casi sin **expectativas**.

Los ninis, un sector de la población joven que en la actualidad ni estudia, ni trabaja, sino que sigue dependiendo de sus padres, refleja la crisis del sistema y la pérdida de valores se ejemplifica en una frase: «Vive de tus padres hasta que puedas vivir de tus hijos».

c. ▸ Relaciona las palabras marcadas en el texto con estas definiciones.

ideales	→	Conjunto de convicciones o creencias.
movimientos	→	Desarrollo y difusión de una tendencia artística, cultural, política o social.
conservadores	→	Defensor de los valores tradicionales.
consumismo	→	Comprar productos aunque no sean necesarios.
sindicatos	→	Asociación de trabajadores que defiende sus intereses económicos y laborales.
revuelta	→	Protestar de forma violenta contra la autoridad.
huelga	→	No acudir al puesto de trabajo un día como forma de protesta.
generación	→	Grupo de personas nacidas en fechas próximas y que, por lo tanto, se presupone que tienen referencias culturales similares.
expectativas	→	Esperanza o posibilidad de conseguir una cosa.
inmadurez	→	Falta de madurez, que todavía no se comporta como una persona adulta.

d. ▸ Encuentra puntos comunes y diferentes entre los movimientos del texto.

2 ## Aprende a expresar ideas opuestas

▸ Observa el cuadro, fíjate en los ejemplos subrayados en el texto y relaciona.

Gramática

> **ORACIONES ADVERSATIVAS. Presentan una idea opuesta**
> *Pero* se utiliza para contraponer ideas. Es el más utilizado.
> *Sin embargo* y *no obstante* se contraponen a la frase anterior de forma parcial y se usan en contextos más formales.
> *Sino* se usa para corregir una idea negativa.

1. El presidente debería dimitir no solo por la huelga del 50 % de los trabajadores,	pero	**a.** esta generación es bastante conservadora.
2. Los sindicatos han logrado un acuerdo con casi todas las partes,	sin embargo	**b.** por el número de parados que hay.
3. A lo largo de la historia los jóvenes siempre se han revelado contra la autoridad,	sino	**c.** no han conseguido convencer a algunos grandes empresarios de sus reivindicaciones.
4. El consumismo es uno de los principales defectos de la sociedad actual,	no obstante	**d.** si la gente no comprara, las empresas no obtendrían beneficios.

3 ## Escribe sobre las tribus urbanas

▸ Elige una de las fotos, descríbela, cuenta lo que sepas de esta tribu urbana y di si te identificas o no con ella y por qué.

Paso 2
Escucha y cuenta
El futuro de los jóvenes

1 Conoce las preocupaciones de los jóvenes y aprende vocabulario

a. ▸ Escucha a estos jóvenes entrevistados en la calle y señala el orden en el que escuchas cada opinión. ¿Qué opinas de lo que dicen? Coméntalo con tus compañeros.

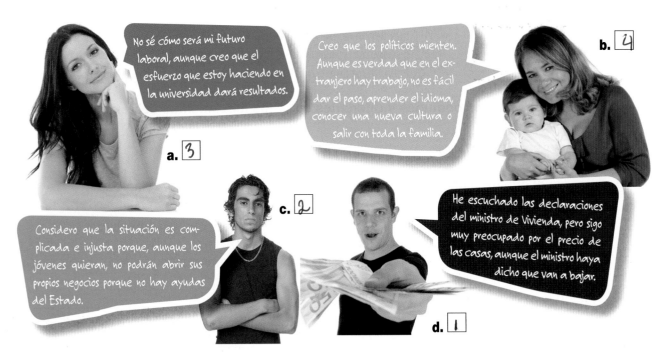

No sé cómo será mi futuro laboral, aunque creo que el esfuerzo que estoy haciendo en la universidad dará resultados.

a. 3

Creo que los políticos mienten. Aunque es verdad que en el extranjero hay trabajo, no es fácil dar el paso, aprender el idioma, conocer una nueva cultura o salir con toda la familia.

b. 4

Considero que la situación es complicada e injusta porque, aunque los jóvenes quieran, no podrán abrir sus propios negocios porque no hay ayudas del Estado.

c. 2

He escuchado las declaraciones del ministro de Vivienda, pero sigo muy preocupado por el precio de las casas, aunque el ministro haya dicho que van a bajar.

d. 1

b. ▸ Escucha de nuevo y señala de cuáles de los siguientes aspectos hablan los jóvenes.

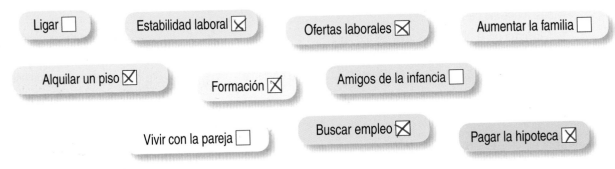

Ligar ☐   Estabilidad laboral ☒   Ofertas laborales ☒   Aumentar la familia ☐

Alquilar un piso ☒   Formación ☒   Amigos de la infancia ☐

Vivir con la pareja ☐   Buscar empleo ☒   Pagar la hipoteca ☒

c. ▸ Ahora clasifica los conceptos anteriores y los siguientes en categorías.

Pagar el agua/la luz/el gas • Tener pareja estable • Ver un piso • Firmar un contrato • Casarse
Pagar la comunidad • Tener experiencia • Despedir • Piso de segunda mano

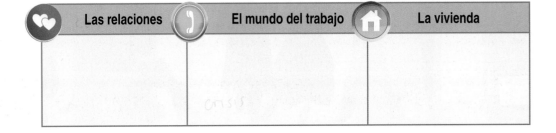

Las relaciones	El mundo del trabajo	La vivienda

2 Aprende a explicar impedimentos o dificultades

a. ▸ **Lee la explicación y busca en los cuatro textos anteriores ejemplos para completarla.**

Aunque + presente de indicativo
El impedimento u obstáculo es un hecho o un dato real.
   Ejemplo: ....

Aunque + subjuntivo
Nos referimos a un impedimento u obstáculo futuro, del que no tenemos experiencia todavía.
   Ejemplo: ....
Hay una excepción a la primera regla: si no presentamos el hecho por primera vez y hablamos de dicho dato como algo que es indiferente para nosotros, aunque sea un hecho real, usamos presente de subjuntivo.
   Ejemplo: ....

b. ▸ **Relaciona y completa.**

1. Ahora que ha nacido nuestro segundo hijo tenemos que buscar una nueva casa...

2. Aunque me (decir) .... esta mañana que han salido nuevas ofertas de empleo,...

3. Ayer, cuando iba a la universidad, hacía mucho frío,...

4. La verdad es que no nos interesa este local para abrir la tienda, porque está muy lejos del centro, pero es que, aunque (querer) ....

5. Mi hijo está desesperado. Aunque (ir) .... a dejar su currículum todas las mañanas a todas partes,...

6. Mañana iremos a Valencia al curso y...

7. Todavía no estoy preparado para casarme y me parece que mi novia tampoco.

8. Aunque Carlos no (estudiar) .... nunca,

a. aunque (hacer) .... sol.

b. Por eso, creo que, aunque se lo (pedir) ...., me diría que no. Esperaremos todavía un poco.

c. no podríamos pagarlo. Nos pedían casi 4 500 euros al mes.

d. ... aunque no (tener) .... mucho dinero, como ya sabes.

e. aunque (nevar) ...., iremos en coche, porque se tarda menos.

f. yo no soy muy optimista sobre mis posibilidades, porque no tengo experiencia.

g. ... siempre aprueba sus exámenes. Es inteligentísimo.

h. ... lleva ya seis meses en el paro y todavía no lo han llamado para ninguna entrevista.

3 Cuenta cómo ves el futuro de los jóvenes

▸ **Cuenta a tus compañeros cómo ves el futuro de los jóvenes: ilusiones, tus expectativas, las dificultades que esperas sobre el trabajo, la vivienda, las relaciones personales. Utiliza este esquema para organizar tus ideas.**

Objetivos o expectativas → Obstáculos o dificultades → Posibles soluciones

Paso 3
Comprende e interactúa
Sobre jóvenes y política

1 Haz una encuesta y da tu opinión sobre los jóvenes y la política

a. ▸ Contesta a esta encuesta y piensa en un argumento para cada una de tus respuestas. Luego, debate tus respuestas con tus compañeros.

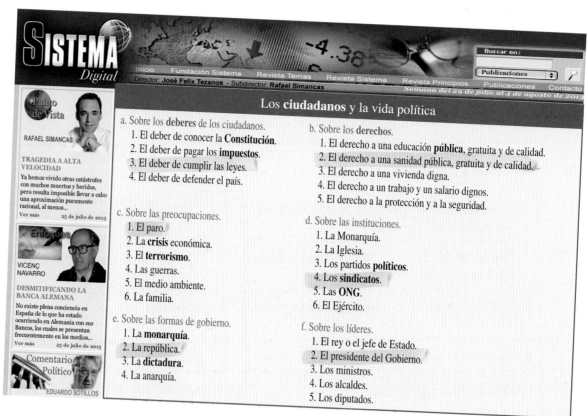

b. ▸ Esta misma encuesta se la formularon a un grupo de jóvenes españoles. Lee los resultados, complétalos con algunas de las palabras señaladas en el texto y marca en la encuesta anterior la respuesta mayoritaria de los jóvenes españoles.

⬤ Aunque España viva en una democracia desde la muerte de Franco y, por tanto, desde el final de su *dictadura* los jóvenes ven que cada vez se recortan más sus *impuestos* Les preocupan especialmente tres de ellos: que la sanidad siga siendo *pública* y gratuita, poder encontrar trabajo y tener acceso a una vivienda digna.

⬤ Los jóvenes opinan que la república es la forma de gobierno ideal. **Aunque la mayor parte de la generación de sus padres se declare monárquica**, los nacidos a partir de los años ochenta consideran que la *monarquía* es algo anticuado, impropio del siglo XXI.

⬤ Sobre los referentes de los jóvenes, los partidos *políticos* y los sindicatos están mejor valorados que la Monarquía, la Iglesia o el Ejército. Sin embargo, son las ONG las instituciones en las que más confían. Dentro de los políticos, **aunque no estén bien valorados en general**, los alcaldes son en quienes más confían, mucho más que en los ministros, el presidente o el propio rey.

⬤ El único de los *Constitución* importantes para los jóvenes es cumplir las leyes. **Incluso afirman que, aunque no se conocieran todas las leyes, igualmente estaríamos obligados a cumplirlas.** Es más, no creen que haya que conocer en profundidad la ...., ya que eso es algo de políticos y abogados. Por otra parte, consideran que los .... son excesivos e injustos.

⬤ A los jóvenes les preocupan el desempleo y la familia. Dicen que, **aunque hoy mismo les aseguraran que la crisis va a terminar y va a haber nuevamente empleo**, la *crisis* financiera global seguiría siendo su primera preocupación.

2 Profundiza en el uso de **aunque** con subjuntivo

a. ▸ Completa la explicación con estas palabras y con ejemplos de la actividad anterior.

ORACIONES CONCESIVAS *AUNQUE* + SUBJUNTIVO

presente   irreal   conocido   imperfecto

■ Cuando el impedimento ya se ha presentado anteriormente o es .... por las personas que hablan, usamos *aunque* + presente de subjuntivo.
  Ejemplo: ....

■ Cuando expresamos un impedimento .... o hipotético, usamos *aunque* + pretérito imperfecto de subjuntivo con un condicional.
  Ejemplo: ....

■ Para indicar una gran dificultad o una imposibilidad, usamos *aunque* + ... de subjuntivo, y cuando señalamos una dificultad de menor grado, usamos *aunque* + ... de subjuntivo.
  Ejemplos: Aunque no se conozcan las leyes, estamos obligados a cumplirlas.   (menor dificultad)
  Ejemplo: ....   (mayor dificultad)

Gramática

b. ▸ Completa según tu opinión.

- Los reyes de España tienen buena imagen aunque ....
- Todos los españoles deberían conocer la Constitución aunque ....
- Los jóvenes no confiarían en los políticos aunque ....
- La gran preocupación de los jóvenes es el trabajo y la vivienda aunque ....
- Hay que pagar los impuestos aunque ....
- La política y los políticos son necesarios aunque ....

3 Interactúa sobre cómo animar a los jóvenes a que participen

▸ Lee estas propuestas, elige las tres más idóneas para favorecer la participación de los jóvenes en la vida política e imagina las objeciones que se pueden poner (utilizando los marcadores concesivos). Debate y defiende tus ideas.

Más jóvenes como directivos de los partidos políticos.

Uso de las nuevas tecnologías para comunicarse.

Formación a los jóvenes sobre la vida política para que conozcan otras formas de participar, además del voto.

Escuchar las necesidades de los jóvenes y no darles consejos o hacerles falsas promesas.

Incluir, durante la escuela y el instituto, proyectos de participación política en su pueblo o ciudad.

Luchar por que no haya corrupción en la política y por que se vea que los políticos están al servicio de los ciudadanos.

Paso 4
Repasa y conversa
Sobre el futuro

1 Repasa el vocabulario de los movimientos juveniles

▸ **Completa con las palabras del cuadro.**

movimiento • conservadores • ideales • revuelta • huelga • expectativas • generación • inmadurez

1. La ….................... general de 1988, que paralizó prácticamente a todo el país, es considerada la de mayor seguimiento en la historia de España y obligó de forma inmediata al Gobierno a negociar con los sindicatos.
2. Muchos de los ….................... del ….................... *hippie* siguen siendo reivindicaciones necesarias hoy en día como, por ejemplo, el antibelicismo.
3. La rebeldía y la ….................... son características propias de la juventud.
4. La conocida como ….................... JASP es la que más universitarios y más ….................... ha proporcionado en la historia de España, aunque desgraciadamente por la llegada de la crisis, estas no se han cumplido.
5. La ….................... de Mayo del 68 solo puede compararse a la vivida en España el 15M.
6. La juventud siempre se enfrentará a los movimientos más ….................... de la sociedad, es parte de su marca de identidad.

2 Repasa las oraciones adversativas

▸ **Completa con los conectores adversativos. A veces hay más de una opción posible.**

pero • sin embargo • aunque • sino • no obstante

1. Los ninis y el movimiento *punk* tienen algunos puntos en común, …................. el *punk* tiene un estilo y una estética propios.
2. No se puede decir que todos los jóvenes son rebeldes, …................. la mayoría suele serlo a esa edad.
3. Es verdad que la revuelta de Mayo del 68 consiguió cambiar algunas cosas, …................. se necesita algo más para conseguir cambiar la sociedad.
4. Muchos políticos actuales no solo no se interesan por los problemas reales de la gente, …................. que parece no importarles nada.
5. La mayor preocupación de la gente es el trabajo, …................. la sanidad y la educación también ocupan un lugar destacado.

3 Repasa el vocabulario de las preocupaciones de los jóvenes

▸ **Elige la opción adecuada.**

1. *Vivo en pareja/Ligo* desde 2008 y el año que viene nos queremos casar.
2. Mis padres, después de más de 20 años, han terminado este mes de pagar la *hipoteca/comunidad*.
3. Esta tarde, Mónica y yo vamos a *ver un piso/firmar un contrato* porque estamos pensando en mudarnos.
4. Hace ya 10 años que *me casé/tengo pareja estable* y recuerdo la boda como si fuera ayer.
5. El mes pasado nos cortaron *el agua/el gas* por equivocación y no pudimos ducharnos con agua caliente durante una semana.
6. Es imposible encontrar *estabilidad laboral/amigos de la infancia*. Ahora solo te llaman para ofrecerte trabajos basura, de corta duración... bueno, eso si te llaman.
7. *Tener experiencia/Cumplir años* es un requisito imprescindible para poder trabajar en nuestra empresa.
8. En cuanto empezamos a *tener experiencia/cumplir años*, surgen los deseos de *pagar la hipoteca/tener hijos*.

4 **Repasa** el vocabulario de la política

▸ **Completa y relaciona.**

> Constitución • derecho • impuestos • crisis • deber • terrorismo • monarquía • república • sindicatos
> • ONG • alcalde • partidos • pública • privada • ministro • presidente • diputados

1. El .... de Educación se reúne hoy con los representantes de los ....

2. En la .... española se dice que el castellano es la lengua oficial. Los españoles tienen el .... de conocerla

3. El .... del Gobierno ha informado de la subida de los ....

4. El pueblo está representado por los ....

5. Mi hermano está colaborando con una ....

6. Los dos .... políticos más importantes en España

7. El .... de la ciudad se ha reunido con los

8. La .... ha pasado a ser la principal preocupación de los españoles,

9. Los países como España donde hay una ....

10. La principal diferencia entre sanidad .... y

a. del agua, del gas y de la electricidad.

b. son el PP y el PSOE, que entre los dos reciben más del 60 % de los votos en las elecciones.

c. para dar una solución a los profesores que están de huelga.

d. en cambio, el .... ha pasado a la décima posición en este *ranking*.

e. y el .... de usarla. Además, el vasco, el catalán y el gallego son lenguas cooficiales en las comunidades autónomas respectivas.

f. principales concejales de la oposición para debatir sobre la construcción del metro.

g. que defiende a los derechos de los pueblos indígenas de América Latina.

h. en el Congreso.

i. no tienen la figura del primer ministro como jefe de Estado como ocurre en una ....

j. .... es que en esta última los tiempos de espera son mucho menores.

5 **Repasa** las concesivas

▸ **Elige la opción adecuada.**

1. — Hay rebajas en Armani esta semana, ¿no?
   —No lo sé, pero aunque *hay/haya*, esa tienda siempre es cara.

2. — Samuel, ¿vas a ir a la manifestación? No hay mucha gente en la calle.
   — Claro que sí, aunque no *hay/haya* gente, hay que estar allí.

3. — ¿Qué te parecen las nuevas decisiones adoptadas por el ministro?
   — Pues aunque *tenía/tuviera* la tele encendida, no me he enterado muy bien porque estaba pensando en mis cosas.

4. — ¡No entiendo cómo puedes estar en contra del movimiento *hippie*!
   — Mira, aunque no lo *creas/crees*, para mí los *hippies* son demasiado inocentes.

5. — ¡Fíjate qué chaqueta! Está baratísima.
   — ¡Qué rabia!, aunque *está/esté* muy bien de precio, no puedo comprarla porque todavía no he cobrado este mes.

6. — Manu está encantado con sus tortugas.
   — ¿Sabes qué? Aunque me las *regalaran/regalen* nunca las querría, no tengo tiempo para cuidarlas.

7. — ¿Vienes a correr al parque?
   — De acuerdo, aunque *salí/saliera* ayer a correr, hoy no estoy cansado.

8. — ¿Puedes encender el aire acondicionado?
   — Pues verás, aunque *estamos/estemos* a 100 ºC, no pienso encenderlo, ¿sabes el precio al que está la electricidad?

Conversa

6 ¿Qué opinas sobre los jóvenes? ¿Eres optimista sobre el futuro? Da tu opinión, pero antes prepárate.

▸ **Lee y elige las opiniones con las que estés de acuerdo y debate con tus compañeros.**

> A los jóvenes no les interesa la política. Están desencantados con los dirigentes y cada vez se alejan más de la vida de los partidos políticos o los sindicatos, no saben el nombre de los ministros y muchos ni siquiera votan.

Amador Rivas, 36 años
Profesor universitario de Ciencias Políticas

> Los jóvenes participan en la vida política mucho más que antes, pero por otros medios: redes sociales, manifestaciones, movimientos como el 15M, asociaciones juveniles, sindicatos de estudiantes... Me parece increíble que se diga que los jóvenes no están interesados por la política...

Vicente Maroto, 70 años
Jubilado

> Los jóvenes solo piensan en sí mismos. Únicamente les interesa irse de fiesta, jugar a los videojuegos, el fútbol y la música... en pocas palabras: pasarlo bien.

Maite Figueroa, 78 años
Ama de casa

> Los jóvenes cada vez son más solidarios y participan en ONG y asociaciones ecologistas o que defienden los derechos humanos. Además, tienen un fuerte sentimiento familiar y los amigos son muy importantes para ellos.

Berta Escobar, 37 años
Cocinera

> Los jóvenes actuales estudian en la universidad una o dos carreras, después hacen un máster... o más, estudian idiomas en el extranjero, hacen prácticas en empresas... Tengo clarísimo que la generación actual es la más formada de la historia y no es justo que se diga que no están motivados o que son unos vagos. Creo que hay muchos prejuicios.

> La juventud actual está desmotivada, no encuentra trabajo y, por eso, deja de buscarlo. Se pasa el día en casa (casi siempre en casa de sus padres porque el tema del acceso a la vivienda tampoco es fácil) sin hacer nada. Ve que tantos años de estudios no sirven para nada.

> Cada vez más jóvenes votan en blanco. Y los partidos políticos deben entender que el voto en blanco es un ejercicio crítico y que los jóvenes que votan en blanco son activos políticamente, seguramente se manifiestan en las calles y reflexionan y opinan en las redes sociales.

Antonio Recio, 52 años
Sociólogo

Raquel Villanueva, 31 años
Periodista

Jorge Calatrava, 58 años
Hostelero

Opina sobre el uso de Internet

Paso 1 Escucha y cuenta	tus hábitos en la red.
Paso 2 Comprende e interactúa	sobre las redes sociales.
Paso 3 Lee y escribe	si Internet ha cambiado nuestras vidas.
Paso 4 Repasa y conversa	¿Se vive mejor con Internet?

Paso 1
Escucha y cuenta | Hábitos en la red

1 Comprende los resultados de una encuesta y conoce las perífrasis con **llevar** y **seguir**

a. ▸ Relaciona. Después, escucha los resultados de una encuesta sobre los hábitos de los españoles en Internet y comprueba tus respuestas.

1 (c) En España hay más de 24 millones de usuarios y esta cantidad...

a y ya casi el 80 % de los encuestados afirma que no podría vivir sin su equipo informático y sin Internet.

2 (d) Todavía hay gente que...

b ¿Y tú, cuánto tiempo llevas sin enviar una felicitación de Navidad?

3 (b) Tres de cada cuatro españoles usan las redes sociales para comunicarse con familiares y amigos... y para felicitar las fiestas.

c lleva quince años aumentando sin parar.

4 (a) La necesidad de vivir conectado sigue aumentando...

d sigue sin comprar por Internet, aunque hay un 27 % de usuarios que ya se han lanzado a hacer sus compras en línea.

b. ▸ Fíjate en las expresiones marcadas y relaciona las perífrasis con su significado.

PERÍFRASIS VERBALES (I)

Llevar + gerundio — **1.** Indica el periodo en el que no se ha producido una acción previsible.
Llevar sin + infinitivo — **2.** Indica que una acción previsible todavía no se ha producido.
Seguir + gerundio — **3.** Expresa la cantidad de tiempo que dura la acción.
Seguir sin + infinitivo — **4.** Indica que una acción, que previsiblemente debería haber finalizado, todavía continúa.

c. ▸ Completa con una de las perífrasis y el verbo en la forma correcta.

1. Ya empezó a serlo hace cinco años y en la actualidad Internet (ser) .... el medio preferido por la mayoría de la gente para informarse.

2. Las ventas de los periódicos tradicionales (caer) .... desde hace más de una década.

3. La mayoría de lectores (comprar) .... libros en papel, aunque muchos ya se han pasado al digital.

4. Algunas personas (ir) .... al quiosco muchos años desde que los periódicos están en la red.

5. No puedo creer que todavía haya gente que (abrir) .... una cuenta de Facebook.

6. Xabi compró una cámara en una web y desde hace un mes (esperar) .... a que se la traigan.

7. Lo siento, pero (entender) .... a la gente que no tiene móvil. Hoy en día es imprescindible.

8. Mucha gente (pensar) .... que comprar por Internet no es seguro.

2 Aprende el vocabulario de Internet

a. ▶ **Localiza los términos del cuadro en la imagen y completa las definiciones.**

asunto • bandeja de entrada • responder • reenviar • para • adjuntar • archivos enviados • papelera

1. La ....*bandeja*............. es el lugar del servidor adonde llegan los correos.
2. Con la opción ...*responder*............ contestamos a nuestros correos.
3. Con la opción ...*reenviar*............... podemos enviar un correo que hemos recibido a otros usuarios.
4. « ....*para*................. » indica a quién va dirigido el correo.
5. Con la opción ...*adjuntar*......... podemos añadir documentos al correo que enviamos.
6. Si queremos eliminar un documento, solo tenemos que enviarlo a la ..*papelera*...........
7. Consultamos los ...*archivos*.......... cuando queremos saber qué correos hemos mandado a otros usuarios.
8. El ....*asunto*......... nos indica el tema del correo electrónico.

b. ▶ **Completa los diálogos con algunas de las palabras anteriores.**

3 Cuenta tus hábitos en la red

Responde a estas preguntas o habla de otros aspectos que te parezcan interesantes: ¿Qué páginas visitas a diario? ¿Desde cuándo usas Internet? ¿Sigues comprando periódicos o los lees por Internet? ¿Qué no te has acostumbrado a hacer en Internet?

DUPLICACIÓN DEL COMPLEMENTO DIRECTO
Se usa para dar más énfasis al objeto que al sujeto.
El CD va al principio y después, antes del verbo, el pronombre.
Internet lo uso para leer las noticias.
Las redes sociales las necesito para estar en contacto con mis amigos.

Paso 2
Comprende e interactúa
Las redes sociales

1 Busca las opiniones con las que te identificas

a. ▸ Clasifica las opiniones a favor y en contra de las redes sociales, elige las tres opiniones con las que coincides y explícalo.

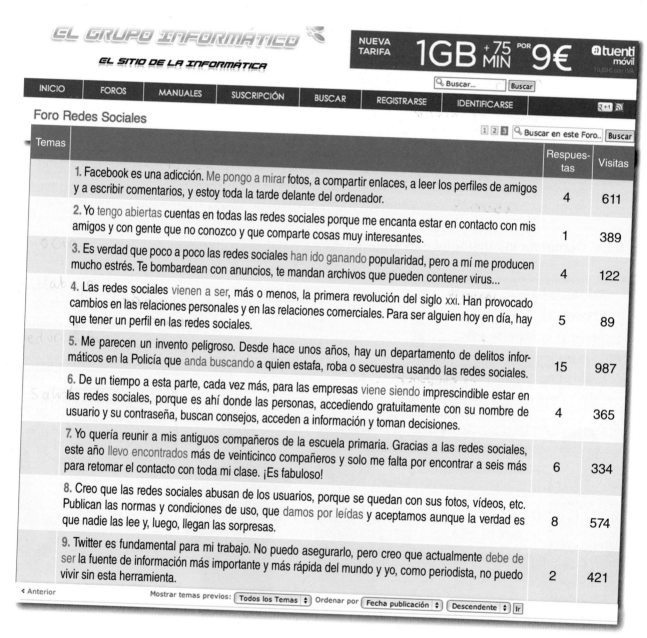

EL GRUPO INFORMÁTICO
EL SITIO DE LA INFORMÁTICA

NUEVA TARIFA 1GB +75 MIN POR 9€ ·tuenti móvil
10,89€ con IVA.

🔍 Buscar... [Buscar]

| INICIO | FOROS | MANUALES | SUSCRIPCIÓN | BUSCAR | REGISTRARSE | IDENTIFICARSE | 8+1 🔊 |

Foro Redes Sociales

1 2 3 🔍 Buscar en este Foro.. [Buscar]

Temas	Respuestas	Visitas
1. Facebook es una adicción. Me pongo a mirar fotos, a compartir enlaces, a leer los perfiles de amigos y a escribir comentarios, y estoy toda la tarde delante del ordenador.	4	611
2. Yo tengo abiertas cuentas en todas las redes sociales porque me encanta estar en contacto con mis amigos y con gente que no conozco y que comparte cosas muy interesantes.	1	389
3. Es verdad que poco a poco las redes sociales han ido ganando popularidad, pero a mí me producen mucho estrés. Te bombardean con anuncios, te mandan archivos que pueden contener virus...	4	122
4. Las redes sociales vienen a ser, más o menos, la primera revolución del siglo XXI. Han provocado cambios en las relaciones personales y en las relaciones comerciales. Para ser alguien hoy en día, hay que tener un perfil en las redes sociales.	5	89
5. Me parecen un invento peligroso. Desde hace unos años, hay un departamento de delitos informáticos en la Policía que anda buscando a quien estafa, roba o secuestra usando las redes sociales.	15	987
6. De un tiempo a esta parte, cada vez más, para las empresas viene siendo imprescindible estar en las redes sociales, porque es ahí donde las personas, accediendo gratuitamente con su nombre de usuario y su contraseña, buscan consejos, acceden a información y toman decisiones.	4	365
7. Yo quería reunir a mis antiguos compañeros de la escuela primaria. Gracias a las redes sociales, este año llevo encontrados más de veinticinco compañeros y solo me falta por encontrar a seis más para retomar el contacto con toda mi clase. ¡Es fabuloso!	6	334
8. Creo que las redes sociales abusan de los usuarios, porque se quedan con sus fotos, vídeos, etc. Publican las normas y condiciones de uso, que damos por leídas y aceptamos aunque la verdad es que nadie las lee y, luego, llegan las sorpresas.	8	574
9. Twitter es fundamental para mi trabajo. No puedo asegurarlo, pero creo que actualmente debe de ser la fuente de información más importante y más rápida del mundo y yo, como periodista, no puedo vivir sin esta herramienta.	2	421

‹ Anterior   Mostrar temas previos: [Todos los Temas ⬍] Ordenar por [Fecha publicación ⬍] [Descendente ⬍] [Ir]

b. ▸ Busca en el texto las siguientes palabras y expresiones y explica su significado.

Normas y condiciones de uso

Tener un perfil

Abrir una cuenta

Delitos informáticos

Usuario y contraseña

Bombardeo con anuncios

Herramienta

Archivos

Virus

2 Conoce más perífrasis verbales

a. ▸ Fíjate en las expresiones marcadas en el foro, di si las perífrasis son de infinitivo, de gerundio o de participio y relaciona cada una con su significado y con su expresión equivalente.

PERÍFRASIS VERBALES (II)

Deber de	
Venir a	
Ir	**Infinitivo**
Andar	
Venir	**Gerundio**
Ponerse a	
Dar por	**Participio**
Tener	
Llevar	

1. Acción que se decide que es así, que está hecha, aunque podría seguir o cambiar.
2. Acción que se produce progresivamente.
3. Es el resultado completo de una acción.
4. Cantidad completada de un total.
5. Opinión aproximada.
6. Acción repetida, costumbre.
7. Comenzar de repente a hacer algo.
8. Suposición, hipótesis probable.
9. Acción que se realiza progresivamente y aumentativamente.

a. Poco a poco
b. Empezar de repente
c. Repetidamente
d. Más o menos
e. Cada vez más
f. De momento parcialmente
g. Está decidido
h. Totalmente
i. Supongo que, seguramente

b. ▸ Subraya la opción adecuada para completar estos diálogos.

● ¿Has bajado de Internet las películas que te pedí?
○ Todavía no las *llevo/tengo* descargadas todas.
● ¡Es que te pedí muchas! Creo que siete u ocho, ¿no?
○ Sí, ocho. Y *llevo/tengo* descargadas solo cuatro. Creo que esta semana terminaré.

● ¿Conoces esta página web? Tiene información muy interesante.
○ No, no la había visto antes, pero *debe de/se ha puesto a* ser un blog.
● Sí, puede ser. De un tiempo a esta parte *anda/viene* siendo muy común encontrar las mejores informaciones en blogs personales.

● *Me he puesto a/Vengo a* buscar la funda del ordenador hace dos horas y no la encuentro. Me rindo, no la busco más, la *doy por/llevo* perdida y me llevo la funda antigua.

● Como los aparatos electrónicos se *andan/van/vienen* popularizando poco a poco, cada vez más *andan/van/vienen* bajando los precios y la oferta cada vez es mayor.
○ Sí, sí, de hecho *andan/van/vienen* diciendo por ahí, en páginas web, que va a salir un nuevo sistema operativo muy competitivo.

● Estoy haciendo una investigación sobre los enlaces más populares en la red. *Doy por/Llevo/Tengo* ya contabilizados y clasificados unos dos mil de cinco mil que son en total. Pensaba no terminar mi estudio hasta *dar por/llevar/tener* vistos todos, pero se me está haciendo difícil y lo *doy por/llevo/tengo* terminado aquí.

3 Interactúa y participa en un debate sobre las redes sociales

Elige tres temas y analiza y comenta los siguientes aspectos de las redes sociales.

SEGURIDAD

PRIVACIDAD

UTILIDAD

NECESIDAD

MEDIO DE COMUNICACIÓN

FUENTE DE INFORMACIÓN

FORMA DE ENTRETENIMIENTO

APROPIADAS PARA TODAS LAS EDADES

Internet cambia nuestras vidas

1 Entiende un estudio y redacta tu experiencia

a. ▸ Lee y coloca las palabras en el lugar correspondiente del texto.

> trabajo • compras • amor • ocio • salud • educación

◀ ▶ | ☑ | ⬤ tendenciasweb.about.com/od/tendencias-web/tp/10-Formas-En-Que-La-Web-Ha-Cambiado-Nuestras-Vi

About.com *About en Español ›* **Tendencias web**

🏠 Tendencias web | Nociones básicas | **Lo último** | Negocios | ➕ Compartir 🖨

DIEZ FORMAS EN LAS QUE INTERNET HA CAMBIADO NUESTRAS VIDAS

Recibe gratis el newsletter: Tendencias web
Escribe tu email aquí | **Suscríbete**
Comenta en el foro

Cada vez se utiliza más Internet. Aquí tienes diez usos. ¿Se ha hecho imposible vivir sin Internet?

1. _ocio_ ⟶ Ya no es necesario acudir a una agencia de viajes. Tampoco hacer cola en la taquilla de un teatro, un cine o un museo. El acceso a la información permite a los <u>internautas</u> conocer las novedades e, incluso, comprar desde casa.

2. _trabajo_ ⟶ Gracias a Internet, el proceso de búsqueda de empleo se ha simplificado: encontrar ofertas de acuerdo a un perfil concreto, conocer toda la información y decidir si optar al puesto son opciones factibles en la búsqueda en línea. Te quedas sentado en el sofá, con tu CV en un <u>procesador de textos</u>, <u>pinchas</u> aquí y ya está, seguramente, con mejores resultados.

3. _educación_ ⟶ Antes solo estudiaban quienes tenían tiempo para acudir a clase. Hoy, la formación *on-line* nos permite adaptar los estudios a nuestros horarios, acceder al campus en todo momento, realizar tareas y preguntar las dudas a cualquier hora.

4. _salud_ ⟶ A pesar de que las consultas médicas se deben resolver ante un médico, muchos internautas reciben respuestas rápidas a cualquier preocupación sobre su salud. Incluso es posible encontrar asesoramiento a distancia, a través de chat o por <u>videoconferencia</u>. En estos casos, el coste se abarata y muchas personas que sienten vergüenza, por ejemplo, por ir a un psicólogo lo hacen sin problema.

5. _amor_ ⟶ La interacción entre usuarios en Internet posibilita la proliferación de relaciones, fomentando el acercamiento entre personas y, por tanto, las posibilidades de que surja el amor. Es ideal para las personas que se ponen nerviosas en la primera cita. Los chats, las redes sociales y los <u>portales</u> de búsqueda de pareja permiten intimar sin salir de casa.

6. Amistad y vida social ⟶ La gente se ha vuelto loca con las redes sociales... desde la aparición de Facebook ya nada es igual. Esta interacción con usuarios no siempre termina en amor, pero muchas veces termina en amistad. Hacer buenos amigos en Internet es cada vez más sencillo y es más fácil hacer que las amistades duren, incluso a pesar de la distancia.

7. _compras_ ⟶ Con el ritmo de vida actual, no todo el mundo dispone de tiempo para poder salir. Las compras por Internet han revolucionado el estilo de vida del consumidor. Desde cualquier terminal, es posible hacer la compra del supermercado o adquirir regalos... ¡en cualquier parte del mundo!

8. Noticias ⟶ Mientras que la televisión espera a cada edición informativa, el periódico sale cada mañana y la radio tampoco ofrece una información inmediata para todas las noticias. Internet es, por tanto, la fuente de información más rápida que existe.

9. Opiniones y recomendaciones ⟶ Si comprar cualquier producto es fácil, conocer la fiabilidad del vendedor o si se trata de un precio competitivo y si realmente la compra merece la pena son respuestas que también se encontrarán en Internet.

10. Contenidos y servicios ⟶ También hay otros contenidos como música, juegos y vídeos. El resultado son grandes cantidades de información, relacionadas entre sí, que crean un estilo de vida del que ya todo el mundo, en mayor o menor medida, forma parte.

Adaptado de *http://tendenciasweb.about.com/*

b. ▸ ¿En qué usos de los diez anteriores ha cambiado tu vida con Internet? ¿Recuerdas o te puedes imaginar cómo era la vida sin Internet?

c. ▸ Relaciona las palabras subrayadas en el texto con su definición.

1. *procesador* ⟶ Programa que sirve para escribir y editar textos.
2. *vídeo* ⟶ Comunicación mantenida con imágenes y sonido transmitidos en directo por vídeo.
3. *internauta* ⟶ Usuario habitual de Internet.
4. *pinchar* ⟶ Hacer clic sobre un enlace.
5. *portal* ⟶ Sitio web con muchos recursos (información, buscador, etc.).

2 Descubre los verbos de cambio

a. ▸ Observa en el texto de la página anterior los ejemplos para completar la explicación.

VERBOS DE CAMBIO
Gramática

Hacerse + adjetivo/sustantivo
Cambio definitivo o con intención de ser definitivo.
Ejemplo: ....

Ponerse + adjetivo
Cambio espontáneo, involuntario y poco duradero.
Ejemplo: ....

Quedarse + adjetivo
Cambio que es como resultado de una acción o situación anterior.
Ejemplo: ....

Volverse + adjetivo/(*un/una*) sustantivo
Cambio involuntario y duradero.
Ejemplo: ....

b. ▸ Completa.

1. No sabía que Andrés había dejado la carrera de Informática y .... fotógrafo.
2. No te puedes imaginar la cara de Fina cuando vio que le había entrado un virus y había perdido toda la información que tenía en su disco duro. La pobre .... tan deprimida que no sabíamos qué hacer.
3. Estudió la carrera, luego dos másteres y .... experto en redes.
4. Mamá .... muy contenta cuando pudo hablar con Carlitos por videoconferencia.
5. Los niños .... nerviosos, porque no podían conectarse a Internet para jugar con sus amigos.
6. Tuvieron que comprar un ordenador nuevo, porque el que tenían .... obsoleto.
7. Con el paso del tiempo y por culpa de tantas redes sociales, ... un chico asocial.

3 Escribe sobre los cambios que Internet provoca en tus hábitos

Escribe un texto contando tu experiencia personal sobre cómo han cambiado tu vida la existencia y la evolución de Internet. Puedes comentar los ámbitos que se presentan en el texto de la página anterior u otros.

Paso 4
Repasa y conversa
¿Se vive mejor con Internet?

1 Repasa las perífrasis con llevar y seguir

a. ▶ **Subraya la opción adecuada y completa con el verbo del cuadro en infinitivo o gerundio.**

> utilizar • tener • dar • colaborar • escribir • poder • enviar • publicar

1. Ayer me encontré con Guillermo. Se ha casado y *lleva/sigue* .... clases en la universidad.
2. Ricardo *lleva/sigue* .... su blog seis o siete años, ¿no?
3. ¿Sabes que mi hermana *lleva sin/sigue sin* .... teléfono móvil? ¡Es increíble! No sé cómo sobrevive.
4. Buenas tardes, llamé hace dos horas para quejarme de que no tenía conexión a Internet. Me dijeron que lo iban a solucionar en veinte minutos, pero *llevo sin/sigo sin* .... conectarme. ¿Me pueden decir qué pasa?
5. Creo que Estrella y María José *llevan/siguen* .... cuatro años con la revista digital de su universidad.
6. Javier, me acuerdo de que no te gustaba Twitter y no lo usabas. ¿*Llevas sin/Sigues sin* ....lo?
7. Me ha dicho que si *llevas/sigues* .... mensajes tontos por Facebook va a quitarte de su lista de amigos.
8. Dani debe de estar enfermo. *Lleva sin/Sigue sin* .... nada en su perfil más de dos semanas.

27

b. ▶ **Escucha y completa las frases. Entre paréntesis tienes una pista que te puede ayudar.**

1. Ángel sigue sin .... (PARO)
2. Carlos lleva .... (CASA)
3. Carlos sigue .... (TRABAJO)
4. Ángel lleva .... (RELACIONES)

2 Repasa las perífrasis de infinitivo, gerundio y participio

Relaciona con su sinónimo.

1. ● ¿Dónde van los niños? ○ **Deben de ir** a clase de natación.	a) Probablemente van a clase de natación. b) Tienen que ir a clase de natación.
2. Cuando empezó a nevar, el árbitro **dio por terminado** el partido porque no se veía el balón.	a) Decidió terminar el partido antes de tiempo. b) Indicó el final del tiempo reglamentario.
3. ● ¿Dónde está Miriam? ○ **Se ha puesto a ordenar** su habitación.	a) Ha ordenado su habitación. b) Ha empezado a ordenar su habitación.
4. La gente **anda diciendo** que Susana y Miguel se han separado tras seis años de relación.	a) Se dice, se comenta repetidamente. b) Van a decir, van a anunciar muy pronto.
5. ● Estás muy tranquila esta noche, ¿no? ○ Sí, es que **tengo preparada** la cena.	a) Ya está lista la cena. b) Ya casi está lista la cena.
6. Me voy a dar un paseo, estoy agotado. Solo **llevo corregidos** quince exámenes y necesito un descanso.	a) Ha terminado de corregir. b) Le queda trabajo que hacer.
7. No, no es una ciudad muy grande. **Viene a tener** unas 600 000 personas.	a) Pronto llegará a los 600 000 habitantes. b) Tiene 600 000 habitantes aproximadamente.
8. Este primer trimestre estamos muy contentos porque **venimos mejorando** las ventas.	a) Están aumentando las ventas poco a poco. b) Han aumentado las ventas radicalmente.
9. He escuchado que tiene que **ir bajando** el precio de los pisos muy pronto.	a) Va a bajar gradualmente el precio. b) Va a bajar de repente el precio.

3 **Repasa y amplía** el vocabulario del ordenador e Internet

Relaciona las imágenes con las palabras.

a. navegador   b. buscador   c. guardar   d. eliminar   e. cortar

f. copiar   g. disco duro   h. escritorio   i. cursor   j. configuración

1.

2.

3.

4.

5.

6.

7.

8.

9.

10.

4 **Repasa y amplía** los verbos de cambio

a. ▸ **Explica los cambios que se han producido en estas imágenes. Usa las palabras del cuadro y los verbos de cambio que has aprendido.**

antipática • calvo • budista • triste • histérica • agotados

Cuando conoció a Messi, ...
....

Cuando terminó el partido, ...
....

Cuando regresó de su viaje al Tíbet, ...
....

Vi a Sergio después de unos años y ....
....

Era muy alegre, pero con los años ....
....

Cuando se enteró de la noticia, ...
....

b. ▸ **Lee y completa.**

1. Ha estado dos semanas en las islas Canarias y se ha puesto .... de tanto tomar el sol.
2. Fue muy divertido. Cuando Sara vio a Raúl, se pusieron .... los dos. Seguro que hay algo entre ellos.
3. Ayer estuvimos en el restaurante que nos recomendaste y nos pusimos .... Por la noche no pude cenar.
4. Mi hermana se puso .... cuando se enteró de que el niño había roto su iPad.
5. Cuando vio la araña, se puso .... No sabía que le daban pánico.

PONERSE + ADJETIVO DE COLOR	
Ponerse rojo	Sentir vergüenza.
Ponerse morado	Comer mucho, en exceso.
Ponerse negro	Enfadarse, ponerse moreno.
Ponerse blanco	Sentir miedo.

5 ¿Era mejor la vida cuando no había Internet o es mejor desde que existe?

a. ▸ **¿Te lo has preguntado alguna vez? Lee y responde a las preguntas.**

1. ¿Necesitamos estar 24 horas conectados?
2. ¿Es verdad que Internet nos simplifica la vida o, al contrario, nos la hace más complicada?
3. ¿De verdad Internet nos ayuda a comunicarnos o nos hace más individualistas?
4. ¿Nos podemos creer todo lo que se dice en Internet? Cualquiera puede decir lo que le dé la gana: ¿es libertad o un gran riesgo?
5. Internet favorece las relaciones sociales... ¿pero no las hace muy superficiales?

EXPRESAR ACUERDO, DESACUERDO Y MATIZAR
- Ahí sí, estoy de acuerdo con...
- En eso no te/le/os puedo dar la razón...
- Vale, acepto eso, pero...
- No lo comparto, pero lo respeto...

EXPRESAR INCREDULIDAD O SORPRESA
- ¿Cómo dice(s)?
- ¿Habla(s) en serio?
- ¡No doy crédito!

REBATIR UNA IDEA
- Bueno, y si es/fuera como tú/usted dice(s), ¿cómo es que...?
- ¿Está(s) seguro? ¿Entonces por qué (no)...?

JUSTIFICAR CON EJEMPLOS
- Por ejemplo, en mi caso...
- Imagínate/Imagínese/Imaginaos...
- Piensa en mi padre/novia/hijo, que...

b. ▸ **La revista *elEconomista.es* ha convocado un concurso. Aquí tienes las opiniones finalistas. ¿A cuál le darías el premio?**

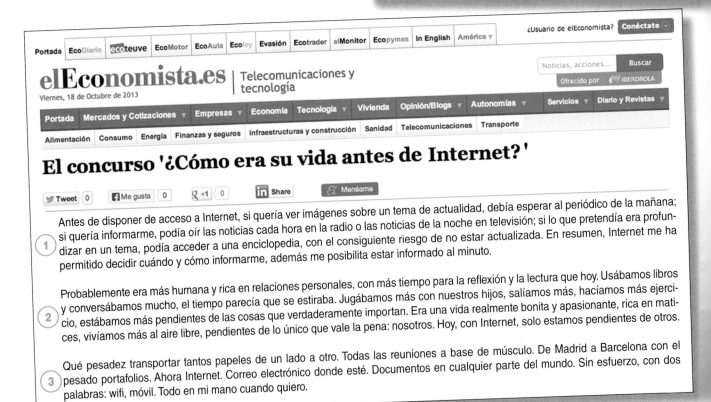

c. ▸ **Discute sobre Internet con los compañeros.**

Discute del arte como negocio

Paso 1 Comprende e interactúa	sobre qué es arte y qué es cultura.
Paso 2 Lee y escribe	acerca de tus gustos sobre los tipos de libros.
Paso 3 Escucha y cuenta	la relación entre arte, belleza y sentimientos.
Paso 4 Repasa y conversa	sobre el negocio de la cultura.

Paso 1
Comprende e interactúa
Arte y cultura

1 Da tu opinión sobre la cultura y el arte

a. ▸ **Completa libremente y busca cuál de tus compañeros tiene una opinión más diferente e intenta llegar a un acuerdo.**

1. Yo definiría la cultura como ....
2. Soy de los que opina que la cultura no es ....
3. Jamás visitaría un museo que ....
4. Sinceramente, el arte contemporáneo me parece ....
5. ¿El cine es un arte? Pues para mí, ...
6. En mi opinión, la más difícil de las bellas artes es ....

b. ▸ **Ahora, lee estas otras opiniones y señala cuáles te parecen más o menos ciertas. Luego, responde a las preguntas.**

Para mí, un museo que está en el centro de la ciudad tiene muchas más ventajas que uno que no lo esté. Recibe más visitas por la ubicación, no por la calidad de sus obras.

A mí me parece que la cultura no solamente son artistas y sus obras, cultura también es saber si en un país se da la mano o dos besos al saludar.

Yo soy pintor y, para mí, es cierto que el arte contemporáneo está sobrevalorado. No entiendo cómo una *performance*, que es en la calle y está hecha por estudiantes que están de actores hasta que encuentren algo serio, se considere arte... o cómo el cuadro más barato de Picasso puede estar por los 10 millones más o menos.

Aunque son millones de euros lo que cuesta mantener la red de bibliotecas nacionales, merece la pena.

1. ¿Estás de acuerdo? ¿Puedes poner un ejemplo?

2. ¿Qué opinas tú?

3. ¿Cómo lo ves?

4. ¿Es cierto es

El arte es complejo, pero la más complicada de sus disciplinas es la escultura, porque, por ejemplo, el mármol es durísimo y es increíble cómo se puede hacer arte con él, me parece impresionante.

5. ¿Cuál te parece la disciplina más difícil?

Para mí la cultura es una serie de hábitos, costumbres y tradiciones que son propios de un país.

6. ¿Coincides conmigo? Explica por qué.

2 | **Recuerda los usos de ser y estar y conoce el verbo parecer**

a. ▸ **Completa la explicación con las palabras del cuadro y con ejemplos de 1.b.**

> acontecimientos • propias • fijo • temporal • circunstanciales • valoración • variables

Gramática

Ser	**Estar**
Características .... para identificar personas, objetos, lugares. Ejemplo: *el arte es complejo*	Características .... o estados de personas, objetos, lugares. Ejemplo: *está contemporáneo*
Localización de sucesos o .... Ejemplo:	Localización de personas, objetos, lugares. Ejemplo: ....
Precio .... de productos. Ejemplo:	Precios fluctuantes, ... Ejemplo: ....
Profesión. Ejemplo:	Ocupación .... Ejemplo: ....
Expresiones impersonales de certeza. Ejemplo:	Expresiones impersonales de .... Ejemplo: ....

b. ▸ **Lee la explicación y relaciona la expresión subrayada con sus expresiones equivalentes.**

Parecer

Gramática

1. Para hablar de la apariencia de personas, objetos, lugares.
   Esta pintura <u>parece</u> cubista.
2. Para opinar.
   <u>Me parece que</u> esta pintura clásica está en el Museo del Prado.
3. Para valorar.
   <u>Me parece muy interesante</u> que se sepa el autor por esos rasgos.
4. Para establecer semejanzas entre personas, objetos, lugares.
   Tu estilo, por la perspectiva de tus cuadros, <u>se parece al</u> de Picasso.

a) Supongo que
b) Da la impresión de que es
c) Es muy parecido a
d) Es interesante

c. ▸ **Transforma las afirmaciones utilizando la forma adecuada del verbo *parecer*.**

1. Las obras de algunos surrealistas se asemejan a las que pintó El Bosco por su composición.
2. Creo que la gente va a los museos como una actividad turística más, no porque tenga una sensibilidad artística.
3. Es evidente que Picasso fue un gran conocedor de la historia del arte.
4. No entiendo mucho de arquitectura, pero el mercado de El Molinillo, por su fachada, da la impresión de que es modernista.

3 | **Interactúa y llega a un acuerdo sobre qué es *arte***

Debate y llega a un acuerdo sobre el concepto de *arte*. Como ayuda, comienza ubicando estas actividades en la tabla.

Arquitectura	Danza
Gastronomía	Teatro
Series	Tauromaquia
Cine	Escultura
Goles de Messi	Pintura
Tatuajes	

Es arte	No es arte
Cine Pintura Teatro	Arquitectura

1 Conoce estas iniciativas para celebrar el Día del Libro

a. ▶ **Lee y coloca cada epígrafe en su lugar. Después, responde.**

> **1** La verdad sobre un mito **4** Iniciativas alternativas **5** Actividades **3** Tradición **2** La idea original

La celebración del Día del Libro se remonta a principios del siglo xx. La historia del libro se hace festiva y surgen actividades literarias en toda España. Actualmente, el día 23 de abril se celebra en todo el mundo. ¿Por qué el 23 de abril? Porque ese día de 1616 fallecieron Cervantes y Shakespeare.

..........[1].......... Pero en realidad no fue el mismo día. Existía un desfase entre los calendarios inglés y español. En 1582, el papa Gregorio XII adelantó 10 días el calendario, así el 5 de octubre pasó a ser el 15 del mismo mes. Ese cambio solo fue adoptado inmediatamente por Francia, Italia y España. Inglaterra no lo hizo hasta 1752. Así, para los ingleses, Shakespeare murió el 23 de abril, 3 de mayo del calendario gregoriano. Pero en un 23 de abril también nacieron o murieron otros escritores eminentes como Vladimir Nabokov o Josep Pla. Por este motivo, esta fecha tan simbólica fue señalada en el calendario de la Unesco para rendir un homenaje al libro y sus autores, y alentar a todos, en particular a niños y jóvenes, a descubrir el placer de la lectura y respetar la irreemplazable contribución de los libros al progreso social y cultural.

..........[2].......... de esta celebración partió de Cataluña: el escritor valenciano Vicente Clavel Andrés propuso esta idea a la Cámara Oficial del Libro de Barcelona. En 1930, se instauró definitivamente la fecha del 23 de abril como Día Mundial del Libro. Este día coincide con Sant Jordi, patrón de Cataluña, donde existe una ....[3].......... preciosa: los enamorados y personas queridas se intercambian una rosa y un libro (novelas, libros de relatos o de poemas...).

Cada año son más las ....[4].......... que se llevan a cabo con lectores, escritores, editores, bibliotecas, librerías o entidades. Últimamente, el fenómeno de las redes sociales está contribuyendo a la difusión de este día con diversas actividades: recomendar y comentar libros actuales, descubrir clásicos que nos cambiaron la vida, compartir citas (en prosa o en verso) de tus autores favoritos, descargar libros publicados hace más de 100 años, ¡son gratis!

Pero hay quien participa en ....[5].......... menos convencionales, como dejar un libro en el banco de un parque, o en el asiento del metro, con una nota que diga: «Feliz Día del Libro», o comprar libros... ¡sin dinero! Sí, sí... sin dinero.

¿Cuánto vale un libro? Poniéndonos realistas, entre diez y veinte euros. Siendo imaginativos, cualquier cosa. Por ejemplo, una llamada a tu madre para decirle que la quieres. O un beso. O hacerte donante de órganos. O dejar de fumar. O el «precio» que se les ocurra a quienes han creado el proyecto *1010 formas de comprar un libro sin dinero*. Este divertido intercambio anual de libros está instaurado desde hace años en ciudades como Málaga, Barcelona, Montevideo, Buenos Aires o Ámsterdam.

1. ¿Es verdad que Cervantes y Shakespeare murieron el mismo día?
2. ¿Qué tradición existe en Cataluña este día?
3. ¿Cuál de las iniciativas de las que habla el texto te parece más interesante? ¿En cuál participarías? ¿Se te ocurre otra?
4. ¿Cómo se consiguen libros a través de la iniciativa *1010 formas de comprar un libro sin dinero*?

b. ▶ Busca en el texto las palabras correspondientes a las definiciones y escribe las definiciones que faltan.

.... Establecimiento donde se compran libros. Las que venden libros usados se llaman «de segunda mano».

Relato ....

.... Persona que escribe un libro o que realiza una obra científica o artística.

.... Lugar donde las personas van a consultar obras, a estudiar, a leer o a sacar libros prestados durante un periodo de tiempo.

Lector ....

.... Persona que publica una obra literaria.

Prosa ....

Verso ....

.... Libro antiguo, histórico, que se utiliza como modelo e inspiración.

.... Frase o fragmento de un texto que, normalmente, se selecciona para demostrar o justificar una opinión, idea, sentimiento...

2 Aprende la voz pasiva

a. ▶ Lee la explicación y busca en el texto ejemplos de voz pasiva de progreso y de resultado.

Gramática

VOZ PASIVA CON *SER*	VOZ PASIVA CON *ESTAR*
Se usa la voz pasiva en vez de la voz activa cuando el hablante da más importancia al objeto que al sujeto. La pasiva con *ser* hace referencia al **progreso** de realización de la acción.	Cuando el hablante da la **importancia al resultado, al efecto** de la acción y no importa, no interesa o no es importante quién hizo la acción, se usa la pasiva con *estar*.
Lorca **escribió** *Yerma*. *Yerma* **fue escrita** por Lorca.	La editorial **ha descatalogado** el libro. El libro **está descatalogado**.

b. ▶ Transforma a la pasiva más adecuada en función del contexto o de la intención comunicativa.

VOZ ACTIVA	CONTEXTO O INTENCIÓN	VOZ PASIVA
Cervantes publicó *Don Quijote*.	En 1605, tras mucho esfuerzo, la obra…	
La escritora destruyó el manuscrito.	Por un ataque de celos…	
Los escritores deciden el título del libro al final.	El proceso normal es…	
Ramón abrió la librería hace unos meses.	En estos momentos la librería…	
Ha publicado el libro en formato electrónico.	Actualmente el libro…	
Paco Roca ha presentado su nuevo cómic.	Terminó el acto y el cómic ya…	
La policía investigó a algunos autores.	En esa época, algunos autores…	
Se han agotado todos los ejemplares.	Hoy en día el libro…	

3 Escribe sobre tus gustos literarios

Elige un tema y escribe un texto con tu opinión.

Mi libro preferido • Mi autor favorito • El cómic, ¿es literatura? • El tipo de libro que me gusta leer

Paso 3
Escucha y cuenta
Arte, belleza y sentimientos

1 **Escucha y conoce algunas «enfermedades culturales»**

a. ▸ **¿Sabes qué es un síndrome? Elige la definición adecuada.**

> Alteración más o menos grave de la salud.

> Señal o indicio de algo que está sucediendo o va a suceder.

> Conjunto de síntomas característicos de una enfermedad o situación.

b. ▸ **Relaciona los síndromes, que tienen un origen cultural o literario, con su explicación.**

1. c
Síndrome de Alicia

2. a
Síndrome de Jerusalén

3. d
Síndrome de Peter Pan

4. e
Síndrome de Otelo

5. b
Síndrome de Stendhal

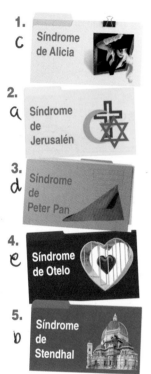

a. Afecta a los turistas que visitan Tierra Santa. Lo que pasa es que te identificas completamente con un personaje del Antiguo o del Nuevo Testamento y actúas como tal.

b. A la persona se le acelera el pulso, siente vértigo, depresiones e incluso alucinaciones cuando el individuo es expuesto a obras de arte, especialmente cuando estas son especialmente bellas o hay muchas expuestas en un mismo lugar, como en un museo.

c. Se perciben alteraciones en la forma, tamaño y situación espacial de los objetos, así como distorsión de la imagen corporal –que les hacen sentirse más grandes o más pequeños– y del transcurso del tiempo.

d. Se caracteriza por la inmadurez, la idealización de la juventud y por huir del compromiso y de la responsabilidad. Como ese personaje que nunca quería crecer.

e. También conocido como *delirio celotípico* o *celos patológicos*. Se trata de un trastorno delirante en el que nos preocupamos excesiva e irracionalmente sobre la infidelidad de nuestra pareja.

28

c. ▸ **Ahora, escucha un fragmento de una conferencia, comprueba y responde.**

1. El síndrome de Stendhal tiene su origen en el siglo XIX, cuando el escritor francés sufrió unos síntomas muy desagradables durante la visita a un museo en Florencia.

☑ Verdadero ☐ Falso Lo que dice es ....

2. Los celos obsesivos de Otelo, en la obra de Shakespeare, dan nombre y explican los pensamientos de las personas que sufren este síndrome.

☑ Verdadero ☐ Falso Lo que dice es ....

3. El autor de *Alicia en el país de las maravillas* sufrió la enfermedad que hoy se conoce con el nombre de la protagonista de su libro.

☑ Verdadero ☐ Falso Lo que dice es ....

4. El síndrome de Jerusalén afecta a los judíos que visitan esta ciudad buscando una experiencia sobrenatural o mística.

☐ Verdadero ☑ Falso Lo que dice es ....

5. El síndrome de Peter Pan se inspira en el personaje de un niño que no quería crecer y, según los expertos, puede convertirse en un serio problema en las próximas generaciones.

☐ Verdadero ☑ Falso Lo que dice es ....

2 Conoce la forma de expresar impersonalidad

a. ▸ Busca en los textos ejemplos para completar el esquema.

Expresar impersonalidad	**Se impersonal** *Se* + verbo en 3ª persona singular (no hay sujeto)	
	Pasiva refleja *Se* + verbo en 3ª persona singular o plural (la persona del verbo depende del sujeto)	
	Sujeto hipotético *Tú* o *uno* impersonales	
	Plural de modestia Primera persona plural	
	Expresar involuntariedad *Se* + pronombre complemento indirecto + verbo	

b. ▸ **Elige la forma adecuada.**

He leído un artículo sobre el Museo Dalí. **Se le dice/Se dice** que es una experiencia surrealista.

En esta revista **se explica/se explican** las características de la pintura de Goya.

Si **quieres/queremos** ser artista, no vale con el talento, **se tiene/se tienen** que trabajar mucho.

Uno puede pensar/Se le puede pensar que en el arte contemporáneo todo vale, que cualquier cosa puede entrar en un museo...

Se cuenta/Se cuentan muchas anécdotas de los artistas... casi todas falsas.

A Picasso **se ocurrió/se le ocurrió** pintar el *Guernica* cuando vio los efectos de un bombardeo.

En esta obra **se reconocen/se reconoce** las características de sus primeros años en París.

Este movimiento **se distingue/se distinguen** por los colores vivos y la perspectiva imposible.

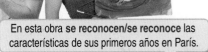

3 Cuenta una experiencia sobre el mundo del arte

Elige una opción y cuéntasela a tus compañeros.

La obra de arte que más me ha impactado es...	Mi museo favorito es..., ya que...	Mi artista preferido es... porque...
Describe la obra. ¿Cuándo la viste? ¿Por qué te impactó? ¿Qué sentiste? ¿Cuál es su tema? (mitológico, religioso, naturaleza muerta, civil, histórico...)	¿Cómo se llama? ¿Dónde está? ¿Por qué te gusta? ¿Qué obras hay en él?	¿Es pintor, escultor...? ¿Cuáles son sus obras más conocidas o las que más te gustan? ¿Qué técnica y materiales usa? (óleo, acuarela, cerámica, bronce, mármol, cristal...) ¿Por qué te gusta?

Paso 4
Repasa y conversa
El negocio de la cultura

1 Repasa y amplía los verbos ser y estar

a. ▸ **Elige la opción correcta.**

1. El *street art* o arte en la calle *es/está* una nueva disciplina de arte escénico que *es/está* de moda en la actualidad.
2. El precio de una obra de arte plástica relevante *es/está* aproximadamente de más de un millón de euros, aunque depende mucho de si el autor *es/está* de moda en ese momento.
3. Para *ser/estar* artista hay que nacer, no hay ninguna escuela donde se enseñe el talento.
4. El Museo Guggenheim *está/es* en la orilla de la ría de Bilbao.
5. Muchos artistas y actores que ahora son muy populares *estuvieron/fueron* trabajando de camareros para terminar sus estudios.
6. —¿Dónde *es/está* el concierto de *jazz* experimental? —*Es/Está* en el parque.
7. El puente de Santiago Calatrava en Venecia *es/está* una obra genial.
8. —¿A cuánto *es/está* una entrada de cine en Madrid? —Carísimo, *es/está* alrededor de los 10 o 12 euros.

b. ▸ **Sustituye la parte señalada de cada frase por su sinónimo del cuadro.**

> listo/a (2) • rico/a (2) • claro/a • atento/a (2) • negro/a • verde • delicado/a (2)

1. Ha estado en Málaga durante el Festival de Cine, ha ido todos los días a la playa y está muy morena.
2. Está demostrado que los impresionistas y los surrealistas son los artistas preferidos de los jóvenes.
3. Creo que este director es muy inteligente. Los guiones de sus películas dan mucho que pensar y son entretenidas. Además, es millonario, ha ganado mucho dinero con su última película.
4. La novela no está mal, pero se nota que este joven autor aún está falto de experiencia en el desarrollo de los personajes.
5. Este poema es abundante en metáforas y comparaciones.
6. Ayer vi una entrevista con el pintor que ha hecho el cartel de la feria de este año y estaba bastante enfermo. Dijo que ya estaba terminado el proyecto del nuevo museo que abrirá a finales de primavera.
7. El personal del Museo Municipal es muy cortés y educado. Siempre está pendiente para ayudarte en lo que necesitas.
8. Me encantó aquella escultura de bronce... es tan fina y elegante.

2 Repasa y amplía el léxico sobre el arte

a. ▸ **Clasifica las palabras en categorías.**

> artistas • retrato • argumento • surrealista • clásico • biblioteca • pirámides • óleo • museo • acuarela • inspiración • creatividad • cubista • fachada • talento • belleza • librería • editor

Lugares	Estilos o movimientos artísticos	Personas	Conceptos	Descripción de obras

b. ▶ **Completa con palabras del ejercicio anterior.**

1. Ayer vi en el museo una exposición de pinturas a la .... preciosas.
2. Las .... de América no se parecen a las de Egipto: en Egipto eran tumbas de faraones y en México, por ejemplo, templos.
3. ¿Te gusta el arte .... o las obras contemporáneas?
4. El dependiente de la .... me aconsejó dos libros de cuentos de Augusto Monterroso.
5. Los .... pueden encontrar la .... en cualquier momento: en un paisaje, durante un viaje, con la persona a la que quieren...
6. He escuchado que van a restaurar la .... de la catedral de Santiago de Compostela porque está muy sucia.
7. El hijo de Ricardo y Ana tiene mucho .... y por eso ha entrado en la Academia de Bellas Artes de San Fernando, que es muy prestigiosa.
8. ¿Has leído el .... de esta novela? Parece interesante. ¿Se la compramos a Irene?

3 Repasa la voz pasiva

a. ▶ **Transforma las siguientes frases a la voz pasiva.**

1. Picasso pintó el *Guernica* durante la guerra civil española.
2. Calatrava diseñó la Ciudad de las Artes y las Ciencias para Valencia.
3. Gaudí hizo la Sagrada Familia y el Parque Güell en Barcelona.
4. Piazzolla compuso *Adiós Nonino* tras la muerte de su padre.
5. Caballero Bonald consiguió el Premio Cervantes en 2013.
6. Vargas Llosa publicó *La ciudad y los perros* en 1963.
7. Manuel de Falla compuso *El amor brujo* en 1925.
8. Botero ha esculpido más de 500 esculturas.

b. ▶ **Elige la opción correcta y señala cuándo ambas posibilidades son adecuadas.**

1. **a.** El libro está publicado.
   b. El libro fue publicado por una editorial pequeña.
2. **a.** Se publicaron 5000 ejemplares en la primera edición.
   b. Se publicó 5000 ejemplares en la primera edición.
3. **a.** Se castigará duramente a quienes dañen obras de arte.
   b. Serán castigados duramente quienes dañen obras de arte.
4. **a.** El artista fue asesinado por un fan de su obra.
   b. Se asesinó al artista por un fan de su obra.
5. **a.** Se busca a los compradores de la pintura para hacerles una entrevista.
   b. Los compradores de la obra son buscados por los periodistas.
6. **a.** A esta chica no se le puede exigir ese tipo de creación.
   b. A esta chica no se le pueden exigir estos tipos de creaciones.

4 Repasa las formas de expresar impersonalidad

Transforma las siguientes frases en una expresión de impersonalidad.

1. He perdido las entradas para la obra de teatro. *Se han perdido las entradas.*
2. Este libro de arte te muestra las obras más importantes del Prado.
3. Para aprender a bailar flamenco lo mejor es ir al Albaicín, en Granada.
4. Creo que la tauromaquia es una barbaridad, pero lo cierto es que para muchos es un arte.
5. ¿Sabes que Lorca, además de poeta, era pintor?
6. Pienso que *Vivir para contarla* es una de las mejores autobiografías de la literatura hispanoamericana.
7. El arte contemporáneo no tiene una interpretación única.
8. Mucha gente dice que *Viridiana* es la mejor película de la historia del cine español.

5 Habla sobre la situación actual y el futuro de la cultura. Da tu opinión sobre estas noticias y fragmentos de artículos.

> Que cada vez se vendan más libros no significa que cada vez se lea más

- ¿Estás de acuerdo con esta opinión?
- Si no se lee más, ¿a qué se debe que se vendan más libros?

> La «industria de la cultura», ¡qué expresión más horrible!

- ¿A qué crees que se refiere la expresión «industria de la cultura»? ¿Te parece adecuada?
- ¿Hay alguna expresión similar a esta en tu idioma?
- ¿Por qué crees que a esta persona le parece horrible la expresión «industria de la cultura»?

> Visitar museos se ha convertido en una actividad turística, al mismo nivel que ir a la playa

- ¿Qué piensas de esta noticia?
- ¿Consideras que es algo positivo o negativo? ¿Por qué?

> La televisión es el espejo donde se refleja la derrota de nuestro sistema cultural (Fellini)

- ¿Qué opinas de esta cita del director de cine italiano Federico Fellini?
- ¿Hay algo cultural en la televisión? ¿La televisión puede acabar por destruir la cultura?

PARA OPINAR Y VALORAR	PEDIR OPINIÓN Y VALORACIÓN	PARA CONTRASTAR IDEAS	PARA ARGUMENTAR
• A mi modo de ver... • Veo que... • Yo diría que... • Yo lo encuentro bien/mal... • Yo veo genial/fatal lo de.../que... • Me parece muy apropiado/bastante radical la opinión de...	• ¿Cómo ves lo de...? • Y tú, ¿ves bien/mal lo de...? • ¿Te parece bien que...?	• Tú dices que..., pero ¿y qué pasa/ocurre con...? • Tú has dicho que..., pero ¿qué pasaría/ocurriría si...? • Me parece que te equivocas cuando dices que.../al decir que...	• Te lo digo de otra forma... • Te pongo un ejemplo que vas a entender... • Te voy a contar un caso que me pasó a mí/que le pasó a...

Debate sobre vivir a la moda o al margen de las modas

Paso 1 Comprende e interactúa	sobre la ropa de moda y sus tendencias.
Paso 2 Escucha y cuenta	ideas para imponer una nueva moda.
Paso 3 Lee y escribe	sobre una marca que te gusta.
Paso 4 Repasa y conversa	acerca de vivir al margen de la moda.

1 Da tu opinión sobre la moda

a. ▸ Clasifica las palabras y expresiones en categorías. Luego, describe tu forma de vestir.

Atractivo · De ante · Moderno · Espantoso · Pasado de moda · Hortera · Fríos · De cuero · Alegres · Ridículo · De temporada · Elástico · Estampado · Ovalado · De poliéster · De moda · Cálidos · Liso · Tristes · De lana · Impermeable · De algodón · Rígido · De cuadros · Clásico · Elegante

Material	Diseño	Estilo	Colores
De cuero De poliéster De lana Rígido Elástico de algodón	Alegres	Atractivo De ante Moderno clásico Elegante	Fríos Cálidos Tristes Alegres

b. ▸ Describe el estilo de cada modelo. ¿Te identificas con alguno? ¿Cuáles de las prendas de ropa te pondrías? ¿Por qué?

2 ## Descubre cómo explicarte por medio de comparaciones

a. ▸ **Fíjate en los diálogos y completa la explicación.**

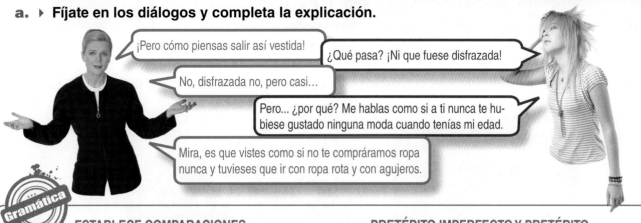

¡Pero cómo piensas salir así vestida!

¿Qué pasa? ¡Ni que fuese disfrazada!

No, disfrazada no, pero casi...

Pero... ¿por qué? Me hablas como si a ti nunca te hubiese gustado ninguna moda cuando tenías mi edad.

Mira, es que vistes como si no te compráramos ropa nunca y tuvieses que ir con ropa rota y con agujeros.

Gramática

ESTABLECE COMPARACIONES CON IMÁGENES O EVOCACIONES

Como si

Para explicar una idea estableciendo una comparación con una situación hipotética.

+ pretérito imperfecto de subjuntivo Comparación con una situación hipotética actual. Ejemplo: ....

+ pretérito pluscuamperfecto de subjuntivo Comparación con una situación hipotética pasada. Ejemplo: *hablada conmigo. Como si hubiera sido su amiga*

Ni que

Para reaccionar ante una situación o ante lo que ha dicho alguien, estableciendo una comparación exagerada con una situación hipotética.

+ pretérito imperfecto de subjuntivo Comparación con una situación hipotética actual. Ejemplo: ....

+ pretérito pluscuamperfecto de subjuntivo Comparación con una situación hipotética pasada. *¡Ni que hubiese hecho algo malo!*

PRETÉRITO IMPERFECTO Y PRETÉRITO PLUSCUAMPERFECTO DE SUBJUNTIVO

El **pretérito imperfecto de subjuntivo** tiene dos formas. Una ya la conoces (*comiera, fuera,* etc.) En la otra, solo hay que cambiar el final *-ra* por *-se* en cualquier verbo:

	COMPRAR	TENER	IR
(yo)	comprase	tuviese	*fuese*
(tú, vos)	*comprases*	tuvieses	fueses
(él, ella, usted)	comprase	tuviese	*fuese*
(nosotros/as)	*comprasemos*	tuviésemos	fuésemos
(vosotros/as)	compraseis	tuvieseis	*fueseis*
(ellos, ellas, ustedes)	comprasen	*tuviesen*	fuesen

Por tanto el **pretérito pluscuamperfecto de subjuntivo** también tiene una segunda forma:

(yo)	*hubiese*
(tú, vos)	hubieses
(él, ella, usted)	hubiese + participio
(nosotros/as)	hubiésemos
(vosotros/as)	*hubieseis*
(ellos, ellas, ustedes)	hubiesen

b. ▸ **Completa. Luego, simula con tu compañero otra conversación parecida.**

● Cuando volvió de la peluquería, yo pensé que me iba a dar un infarto.

○ ¡Qué exagerada!

● Pero no te lo puedes imaginar... era como si (meter) .... la cabeza debajo de un ventilador y, después, me (caer) .... encima un bote de pintura.

○ ¿De verdad?

● ¿Cuánto te han costado esas botas?

○ Pues no sé... ciento y pico euros...

● ¿Cuánto? ¡Dímelo!

○ No me acuerdo... ¡Ni que lo (pagar) .... tú! Es mi dinero.

● Bueno, no quiero discutir contigo otra vez... eres imposible.

3 ## Interactúa e intercambia experiencias sobre la ropa de moda y sus tendencias

Pide a tu compañero que te cuente sus experiencias y luego cuéntale las tuyas.

La moda más horrible que he seguido en mi vida...

Nunca me atreví a seguir esta moda... porque...

No entiendo cómo hay gente que sigue la moda de...

Paso 2
Escucha y cuenta
Ideas para una moda

1 Escucha un reportaje radiofónico sobre los *foodies*

a. ▸ **¿Cuáles de las siguientes actividades te parecen modas pasajeras y cuáles no? ¿Por qué?**

Hacer fotos de lo que comes y compartirlo en las redes

Estudiar chino

Hacer pilates

Practicar yoga

Los cigarros electrónicos

Ir al gimnasio

Las *tablets*

Lo *retro* o *vintage*

Las películas en 3D

b. ▸ **Antes de escuchar, da tu opinión. Después, escucha y comprueba.**

29

Antes de escuchar V F		Después de escuchar V F
☐ ☐	*Foodie* es una palabra que se usa exclusivamente para definir a los amantes de la buena comida, especialmente, a los que se desenvuelven bien en la cocina.	☐ ☐
☐ ☐	El origen de esta moda hay que buscarlo en cómo hemos cambiado por culpa de las redes sociales.	☐ ☐
☐ ☐	Hay restaurantes que han sustituido su carta por una cuenta en una red social donde publican las fotos de sus platos.	☐ ☐
☐ ☐	Hay especialistas en fotografía de comida que aconsejan hacer las fotos con una buena cámara, sin *flash* y cuidando la composición.	☐ ☐
☐ ☐	Los móviles inteligentes son un obstáculo para el desarrollo de esta moda porque hacen fotos de mala calidad.	☐ ☐
☐ ☐	Según los especialistas, lo ideal sería que la gente que ve las fotos que publicamos supiese qué estamos comiendo, no importaría tanto que hiciésemos una buena foto o cuidásemos la estética.	☐ ☐

c. ▸ **Escucha de nuevo y señala qué se menciona.**

● Comida dietética
● Tener apetito
● Comida abundante
● Comida precocinada
● Productos frescos
● Productos bajos en calorías
● Comida tradicional
● Devorar un plato
● Alimentos ricos en fibra
● Plato de nueva cocina
● Ayunar

d. ▶ Clasifica las expresiones y, luego, señala la que resume mejor tu opinión sobre esta moda de los *foodies*. Explica por qué.

¡Típico de frikis!	¿De verdad la gente hace esto?	¡La gente está muy aburrida!	¡Qué guay! ¡Cómo mola!	¡Jamás se me habría pasado por la cabeza!	A ver si me animo.

A favor	En contra

2 Aprende a anticiparte a las dificultades

a. ▶ Fíjate en estas ideas sobre esta moda y señala cuáles están extraídas del programa.

1. Ten preparada la cámara o el móvil antes de que llegue el camarero con los platos, por si acaso el hambre te hace devorar la comida y se te olvida fotografiarla.

2. «Ojalá tuvieses Instagram, así podrías compartir las fotos de lo que cocinas». El *foodie* se caracteriza por intentar convencer a sus amigos para que se unan a su red.

3. Basta que quisieses hacer una foto para que alguien empezase a comer… en ese momento, el *foodie* quiere matar a su amigo o grita desesperadamente: «¡Un momento, un momento… la foto, la foto!».

4. Desactiva el *flash* para hacer fotos a las comidas, no vaya a ser que te encuentres sombras indeseadas o efectos no deseados sobre la foto, además de distorsionar el color.

b. ▶ Busca ejemplos en las frases anteriores y completa la explicación. Luego, completa.

> **ANTICIPARSE A LAS DIFICULTADES** *Gramática*
>
> **Para justificar una precaución**
> ***Por si/Por si acaso* + ...**
> ***No vaya a ser que* + ...**
> Ejemplo:...
>
> **Para indicar algo necesario o suficiente para que una acción se realice**
> ***Basta que* + ...**
> Ejemplo:...
>
> **Para expresar un deseo que se considera poco probable**
> ***Ojalá* + pretérito imperfecto de subjuntivo**
> Ejemplo:...

1. Creo que debemos quedar a las 20:00 para cenar, por si acaso ....

2. Basta que .... para que ella no venga con nosotros.

3. Ha llamado María para reservar mesa. Ojalá ....

4. Prepara la cámara de fotos, que la paella está casi lista, por si ....

5. Estoy preocupada. Llámale por teléfono, por favor, no vaya a ser que ....

3 Cuenta una idea para imponer una moda

¿Eres creativo? Imagina una moda (de ropa, actividad de tiempo libre, uso de tecnología, etc.) y preséntala a tus compañeros. Plantéate las dificultades que pueden surgir y anticípate a ellas. Después, escucha la opinión de tus compañeros.

Tu marca favorita

1 Lee y conoce la filosofía de la empresa española Zara

a. ▶ Ordena los fragmentos de este texto y explica con tus palabras el significado de las partes subrayadas.

EL MILAGRO DE ZARA

Renovación constante

Explica Martínez que uno de los secretos de Zara, aprendidos por Amancio Ortega desde muy abajo, es que hay que saber lo que el cliente quiere. Una vez que lo sepas, dáselo a buen precio y no le impongas modas ni colecciones como el sector siempre había hecho en los años sesenta y setenta. Inditex abandonó las clásicas temporadas de verano o invierno y las sustituyó por una renovación constante de las colecciones que cada quince días llegan a las tiendas. Esta estrategia genera en el cliente la necesidad de acudir con regularidad al establecimiento para ver las novedades.

Pero hay mucho más: tan pronto como se recibe una consulta, una queja o una petición, hay que responder, la rapidez es esencial; además de la perfeccionada maquinaria de sus centros de logística, la cercanía de los centros productores a las tiendas, la diversificación de firmas amigas y, sobre todo, el espíritu inconformista de su fundador, para el que nada es bastante bueno.

Martínez concluye el libro preguntándose por el futuro de la empresa sin la presencia del padre de la critaura y los nuevos retos. «Amancio Ortega aspira a que la mujer que adquiere un vestido en Christian Dior o en Chanel entre a comprar también en Zara», asegura.

La economía mundial está en crisis, pero Inditex no se ha enterado: a medida que unas empresas cierran, el grupo sigue aumentando los ingresos sin pausa. El periodista David Martínez intenta desvelar las claves que han hecho posible este milagro.

Lo que Amancio Ortega inició en 1963 con un taller de confección de batas para combatir el duro clima coruñés es hoy una gran multinacional. Aquel niño que con 12 años vio con rabia cómo a su madre le negaban el crédito en una tienda de ultramarinos ha hecho el milagro. Hoy posee la tercera fortuna del mundo. Así nos lo explica David Martínez en su obra *Zara, visión y estrategia de Amancio Ortega*. Un libro que pretende servir de guía inspiradora a los que quieran seguir los pasos de este empresario.

La fórmula del éxito de Inditex no se guarda en ninguna caja fuerte. Ortega da el máximo protagonismo a la tienda, que es su escaparate al mundo, y al mismo tiempo, punto de captación de información de las preferencias de sus compradores. Luego, estructura toda una maquinaria de producción y distribución de masas enfocada a dar servicio al cliente. El establecimiento comercial es el eje central de todo el negocio, explica Martínez, y por ello se coloca en los mejores locales de las principales calles y ciudades de todo el mundo. Es la mejor publicidad de la marca y su mejor sondeo de los gustos del público. La intermediación entre el diseño y el cliente se simplifica al máximo.

Dura infancia

El libro arranca con el relato de la dura infancia de Ortega y nos lleva por los escalones ascendentes desde su empleo de chico de los recados en la camisería Gala a su trabajo en La Maja. Martínez desmenuza las fortalezas y cualidades adquiridas entonces por Ortega que, sin preparación académica, desarrolló un papel revolucionario en el textil.

Apenas lo conoces te das cuenta de que «es una persona con carácter, que impone una forma de trabajar no autoritaria, pero sí muy clara. Es una persona directa, abierta si inicias con él una conversación, e interesada por la actualidad económica y social que le rodea. Amigo de sus seres queridos quiere siempre preservar su intimidad y proteger su tesoro más preciado: su familia y sus amigos, algo que ha ido conservando desde muy pequeño», asegura el periodista.

Adaptado de *lavozdegalicia.com*

b. ▶ **Responde.**

1. [Comprende] ¿Cuáles son los estudios de Amancio Ortega?
[Opina] ¿Conoces otros casos similares?

2. [Comprende] ¿Cuál es el centro de la estrategia de promoción de Zara?
[Opina] ¿Qué piensas de ella?

3. [Comprende] ¿Cómo enfoca Inditex las colecciones de temporada?
[Opina] ¿Sigues las modas de cada temporada?

c. ▶ **Busca en el texto las palabras que corresponden a estas definiciones.**

Preparación y creación de prendas de ropa

Carácter inquieto y emprendedor

Lugares donde se organiza la distribución de los materiales de una empresa

Encuestas y estudios para analizar las preferencias de los clientes

División en diferentes partes

Joven responsable de los encargos y tareas poco importantes

2 Amplía tus recursos para hablar del tiempo

Fíjate en los diferentes marcadores temporales de texto. Después, completa.

1. Una vez que (darse cuenta) .... de las necesidades de los clientes, cambió la estrategia de la empresa.
2. Apenas (mejorar) .... la situación económica, volveremos a aumentar las ventas.
3. A medida que los famosos (empezar) .... a usarla, se pondrá de moda.
4. Tan pronto como (lanzar) .... la campaña de promoción, la gente empezó a ir a las nuevas tiendas.
5. Están esperando a ver los resultados de las encuestas y, en cuanto (conocer) .... las opiniones de los clientes, tomarán las decisiones oportunas.
6. Fue muy interesante lo que ocurrió, ya que iban recibiendo más pedidos a medida que (pasar) .... los meses.
7. No te preocupes, una vez que (saber) .... lo que quiere para su cumpleaños, dímelo y voy a comprarlo.

ORACIONES TEMPORALES — Gramática

Acción que se realiza inmediatamente después de otra

Apenas/Tan pronto como
+ **indicativo** (presente/pasado)
+ **subjuntivo** (futuro)

Una vez que
+ **indicativo** (presente/pasado)
+ **subjuntivo** (futuro)

Realización gradual de una acción

A medida que
+ **indicativo** (presente/pasado)
+ **subjuntivo** (futuro)

3 Escribe sobre tu marca favorita

Escoge una marca que te gusta y escribe un breve texto explicando sus características, su filosofía, por qué te gusta, etc. Puedes informarte en Internet y contar un poco su historia y evolución.

Paso 4
Repasa y conversa
Vivir al margen de la moda

1 **Repasa** la forma del imperfecto y del pluscuamperfecto de subjuntivo en -se

a. ▸ Transforma las formas de -ra en -se en la misma persona.

1. fuera ....
2. dijera ....
3. hubieran estado ....
4. hubiera ido ....
5. supierais ....
6. anduviéramos ....
7. quisieran ....
8. tradujéramos ....

b. ▸ Forma el imperfecto de subjuntivo en -ra y en -se de estos verbos en la persona indicada.

1. Ir (yo) ....
2. Tener (vosotros) ....
3. Hacer (ellos) ....
4. Traer (tú) ....
5. Volver (nosotros) ....
6. Conducir (él) ....
7. Caber (ellos) ....
8. Sentir (ella) ....

2 **Repasa y amplía** los adjetivos de carácter

Relaciona cada adjetivo con su opuesto.

1. rebelde	a. verde
2. curioso	b. diligente
3. inquieto	c. discreto
4. maduro	d. paciente
5. ambicioso	e. modesto
6. tierno	f. insensato
7. vago	g. duro
8. responsable	h. conformista
9. cobarde	i. valiente

3 **Repasa** los conectores **como si** y **ni que**

Completa.

1. Me enfadé mucho porque me hablaba como si yo ....
2. Yo me quedé asombrado con su reacción. Ni que ....
3. Me parece que se siente superior a nosotros. Ni que ....
4. Lo hizo todo ella, como si nosotros ....
5. Me compró exactamente lo que yo quería. Ni que ....
6. Se viste siempre como si ....
7. Su jefe no estaba, pero él lo hizo como si ....
8. ¡Qué mal! Ha salido todo al contrario de lo que habíamos planeado. Ni que ....

4 **Repasa** cómo anticiparse a los inconvenientes

Pon el verbo en la forma adecuada.

1. No lances la promoción, no vaya a ser que los últimos sondeos (decir) .... otra cosa.
2. Preséntame el catálogo por si acaso (haber) .... que corregir algunas cosas.
3. Ojalá (vender) .... el doble que el año pasado, pero no lo tenemos muy claro.
4. Basta que nosotros (sacar) .... un producto nuevo para que la competencia lo copie.
5. Me dijo que me preparara bien la reunión, por si los clientes (pedir) .... algo raro.
6. Necesitamos un análisis del mercado serio, no vaya a ser que (dar) .... al cliente algo que no quiere.
7. Me encanta la filosofía de esta empresa de ropa de señora. Ojalá (poder) .... trabajar allí.
8. Habla con ellos por si acaso la (conocer) ....

5 **Repasa** el vocabulario de los negocios de ropa

Completa con las palabras del cuadro.

> colección • firmas • taller de confección • chico de los recados • Logística
> • Atención al Cliente • sondeos • diversificar

1. Se están planteando .... el negocio y vender, además de libros, material de papelería.
2. Trabajé tres años en el Departamento de ...., organizando el almacén y preparando los envíos.
3. En esta calle es donde están todas las tiendas de las .... más caras.
4. Mañana veremos un adelanto de la .... de otoño-invierno de la conocida marca gallega.
5. Según los análisis de mercado y los .... de gustos de los clientes, nuestros productos estrella deberían seguir siendo los mismos.
6. Tengo que ir al Departamento de .... porque tengo un problema con la factura de la última compra.
7. Empezó como .... y hoy es el director de una de las mayores multinacionales del sector.
8. Encontraron un .... que hacía trajes a medida a muy buen precio.

6 **Repasa** las temporales

Subraya la forma adecuada.

1. Tan pronto como *llegue/llega*, nos reuniremos para preparar la promoción de la nueva temporada.
2. Me dijo que le llamara apenas *terminara/termine* la reunión.
3. El prestigio de la marca va a aumentar a medida que se *conocerá/conozca* la calidad de sus artículos.
4. A medida que *fueran/fueron* llegando a la tienda, se fueron agotando las prendas de la temporada de verano.
5. Una vez que el público *vea/vio* a la actriz con el vestido de la firma, se dispararon las ventas.
6. Devolvieron todas las cajas tan pronto como *descubrieron/descubran* los fallos de confección.
7. Apenas *sepa/ha sabido* lo que pasó, hablará con ella.
8. Nos comunicarán las novedades una vez las *decidan/decidirán*.

7 | ¿Se puede vivir al margen de la moda?

¿Piensas que es posible vivir en la sociedad actual al margen de las tendencias de moda? Coméntalo con tus compañeros. Antes, prepárate.

a. ▶ **Lee y responde.**

lanacion·com   **Tecnología**
Presentado por *Telefónica*

👤 Ingresar
Buscar...

| INICIO | ÚLTIMAS NOTICIAS ▾ | SECCIONES ▾ | OPINIÓN ▾ | EDICIÓN IMPRESA ▾ | BLOGS |

CÓMO ES VIVIR SIN TECNOLOGÍA EN EL SIGLO XXI

Pablo Martín, un abogado de 37 años, asegura que el hecho de no utilizar tecnología no afecta ni a su vida social ni a su vida laboral. «Muchos conocidos y familiares tienen teléfonos celulares sumamente costosos, pero cada vez que quieren establecer una comunicación, sus equipos fallan, se quedan sin batería, no tienen señal o surge algún imponderable que les impide utilizarlos para comunicarse. En cambio, mi móvil antiguo, que hasta tiene linternita, no me falla nunca. Siempre tengo señal y la batería me dura cinco días. Además no tengo temor de que me lo roben, es pequeño y, por lo tanto, cómodo y discreto», resume.

A este abogado no le interesa utilizar las redes sociales ni piensa cambiar su celular. Cuando se le pregunta sobre las dificultades que se le presentan a diario por no utilizar nuevas tecnologías sostiene que para el trabajo usa tanto el teléfono como el correo electrónico, por lo que no tiene inconvenientes. «Además, aprendo a utilizar distintas tecnologías y *software* en la medida en que mis necesidades laborales, familiares o sociales me lo exijan. Aunque sé que soy un consumidor de tecnología que se sale del promedio», reconoce.

Adaptado de lanacion.com.ar

> ¿Conoces algún caso más como el de Pablo Martín?

YAHOO! ANSWERS

Search Answers   Search Web

Society & Culture > Religion & Spirituality > Reference Question   Next ▶

¿LA NUEVA MODA ES NO SEGUIR LA MODA?

No es una pregunta, es una afirmación. Puede parecer una paradoja, pero es así. En estos tiempos, la mayoría de los jóvenes viven atrapados en modas estúpidas y superficiales en las que el individuo no sale beneficiado, por eso decide no seguir la moda. Por ejemplo, si todos los chicos escuchan un género específico de música, pero yo no, y otros están de acuerdo conmigo, entonces estoy creando una nueva moda, pero una en la que soy yo mismo.

Adaptado de yahoo.com

↩ Following (1)   ➕ Watchlist   ✉ t 🐦 f g+

> ¿Qué piensas de esta idea: no seguir una moda es una moda?

eHow en Español   comida | salud | hogar | finanzas | *estilo* | más ▾

Escrito por Sally Murphy | Traducido por Laura González

🐦 Twittear 0 g +1 0 Pinit f Me gusta 0

📋 *estilo*   **CÓMO SEGUIR LAS TENDENCIAS DE LA MODA**

Ya sea porque trabajas en la industria de la moda o porque siempre quieres verte lo mejor posible, seguir las tendencias de la moda es una de las mejores maneras de mantenerte al día. A pesar de que tu estilo personal debe ser atemporal, seguir las tendencias de la moda te asegura que te mantengas a la vanguardia. Al saber lo que está de moda, lo que está en vanguardia y lo que es anticuado, podrás ser capaz de incorporar estas tendencias en tu propio armario con confianza.

Si deseas realizar un seguimiento de cómo han cambiado las modas con el tiempo, compra revistas de moda viejas en tiendas de antigüedades. Estas publicaciones ofrecen ideas sobre las tendencias de las últimas décadas. Mirar películas y programas de televisión antiguos también muestra las modas populares de cada época. Muchas tendencias pasan por ciclos, así que los estilos *retro* a menudo vuelven a ser populares otra vez. O consulta a estilistas. Estos profesionales trabajan duro para mantenerse al día con las últimas tendencias, desde la moda de las celebridades hasta los estilos locales. Si quieres estar al día con los cambios de tendencia, programa visitas frecuentes a un estilista para pedirle consejo sobre la moda y los accesorios que son populares.

Adaptado de ehowenespanol.com

> ¿Se puede seguir la moda y tener un estilo propio atemporal, como afirma este artículo?

b. ▶ **Después de lo que has leído, debate con tus compañeros la viabilidad de vivir en la actualidad alejado de la moda. Expresa tu opinión, para abrir el debate, a partir de una de estas ideas.**

> Queramos o no, estamos influidos permanentemente por las modas.

> Vivir al margen de las tendencias nos hace más libres y más felices.

Conoce Latinoamérica y elige cómo descubrir una cultura

1 Conoce América Latina

a. ▸ Elige la palabra que mejor resuma cada una de las experiencias de estos viajeros. ¿Cuál o cuáles se corresponden con tus impresiones sobre América Latina?

> enigmático • aventurero • curioso • espontáneo • cercano • arriesgado • incomparable

> Quería dar la vuelta al mundo, pero necesitaba tiempo y dinero, así que decidí recorrer América Latina. Es una aventura apasionante, un mano a mano con países hermanos. Lo que me impulsó a ir allá no solo fue el idioma, sino también la cultura. La diferencia con otros destinos a los que había ido antes es que me he sentido menos lejos de lo que en realidad estaba.

> Nunca antes había estado en el norte de Perú y, en la región de Chachapoyas, he descubierto algunos de los mejores rincones que he visto en mi vida. ¿Sabías que allí se encuentra Kuelap, una ciudad que no tiene nada que envidiar a Machu Picchu, o la tercera caída de agua más alta del mundo?

> Como os estaba diciendo en la página anterior, viajo en una vieja motocicleta porque me da mucha sensación de libertad y, además, me permite parar en cualquier sitio, sin caer en las trampas típicas de turistas. Mi experiencia hasta ahora ha sido increíble: el 28 de octubre llamo al trabajo y digo: «Lo dejo, me voy a recorrer Hispanoamérica en moto». La aventura más maravillosa de mi vida había comenzado.

> En Chile, conocimos Arica e hicimos la ruta más peligrosa del mundo, un tramo plagado de precipicios donde debíamos tener cuidado constantemente. En una escalada, subíamos por una montaña y, de repente, se rompió la cuerda. Pasé un momento terrible, pero por suerte conseguimos agarrarnos y parar.

> Cuando empecé a planear mi viaje por Latinoamérica, solo había pensado en qué lugares me gustaría conocer. Soñaba que entraba por México y regresaba por Argentina. Luego, me di cuenta de que lo importante no es el destino, sino el propio viaje. Lo bueno es no saber lo que te va a pasar por el camino, decidir sobre la marcha es lo que más me gusta en un viaje.

b. ▸ Sustituye las expresiones subrayadas por las marcadas en los textos.

1. En mi caso <u>lo que me hizo decidirme</u> a dar la vuelta al mundo fueron las ganas de conocer diferentes culturas.
2. Actúa <u>evitando el error</u> de pensar que la cultura de un país son los estereotipos de este.
3. Lo mejor de viajar sin un plan previo frente a un viaje organizado es que <u>puedes hacer lo que quieras</u>.
4. Durante nuestro viaje por Chile la mayoría de las decisiones las tomamos <u>en el mismo momento que nos sucedían</u>.
5. A nivel cultural la ciudad de Barcelona <u>ofrece tantas posibilidades como</u> Madrid.
6. La mayor parte de mi viaje lo hice <u>junto</u> con un amigo colombiano.

2 Recuerda y amplía las formas de hablar del pasado

a. ▶ Subraya en los textos ejemplos que corresponden con la explicación y relaciona cada tiempo con su uso.

Pretérito perfecto compuesto • Pretérito imperfecto • Pretérito perfecto simple • Presente • Pretérito pluscuamperfecto

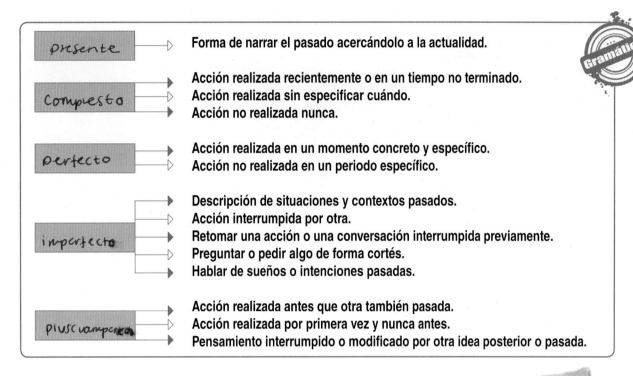

| presente | → | Forma de narrar el pasado acercándolo a la actualidad. |

Compuesto
▶ Acción realizada recientemente o en un tiempo no terminado.
▷ Acción realizada sin especificar cuándo.
▶ Acción no realizada nunca.

perfecto
▶ Acción realizada en un momento concreto y específico.
▷ Acción no realizada en un periodo específico.

imperfecto
▶ Descripción de situaciones y contextos pasados.
▷ Acción interrumpida por otra.
▶ Retomar una acción o una conversación interrumpida previamente.
▷ Preguntar o pedir algo de forma cortés.
▶ Hablar de sueños o intenciones pasadas.

pluscuamperfecto
▶ Acción realizada antes que otra también pasada.
▷ Acción realizada por primera vez y nunca antes.
▶ Pensamiento interrumpido o modificado por otra idea posterior o pasada.

b. ▶ Completa con la forma adecuada del pasado.

Cuando Mempo Giardinelli (comenzar) ...comenzó... su viaje por la Patagonia, en un viejo Ford Fiesta, (soñar) ...soñaba... con escribir una novela que describiera su aventura. Esa novela llena de escenarios novelescos y reflexiones literarias finalmente se (hacer) .... realidad en un original relato de viajes.

Durante tres semanas, (estar) ....
.... en Centroamérica. Costa Rica y el archipiélago de Bocas del Toro, en Panamá, (ser) .... los lugares escogidos para llevar a cabo uno de mis viajes más deseados, no solo porque nunca antes (cruzar) ....
.... el charco, sino también porque fue algo muy diferente a lo que (estar) .... acostumbrado: es una zona en que la protagonista al 100 % es la naturaleza. Sin embargo, no (visitar) .... los manglares :(

Algunos consejos antes del viaje:
- Si (pensar) .... recibir clases de inglés antes del viaje, déjalo porque el idioma oficial es el español :)
- Perú no es un país barato, antes sí lo (ser) ....

3 Interactúa e intercambia experiencias viajeras

Sigue las instrucciones y comenta con tus compañeros diferentes experiencias durante tus viajes.

Con tu compañero de la derecha	Con tu compañero de la izquierda	Con tu compañero de enfrente	A todos tus compañeros
Un viaje donde vivieras una situación arriesgada	→ Un viaje inolvidable	→ Un viaje espontáneo, sin planificar	→ Un viaje para olvidar

1 **Comprende un fragmento de una conferencia y conoce tradiciones latinoamericanas**

a. ▶ **Escucha y señala qué afirmaciones corresponden a la información de la conferencia.**

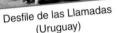
Desfile de las Llamadas (Uruguay)

Huaconada (Perú)

Danza de las Tijeras (Perú)

Procesión de Semana Santa de Popayán (Colombia)

- *Tradición popular*, **aun** siendo una expresión muy usada, es difícil de definir. Se puede decir que es el conjunto de celebraciones y ritos de una comunidad que se transmite exclusivamente por vía oral. Por ejemplo, las diferentes formas de expresión artística o los refraneros son parte de ella.

- El Desfile de las Llamadas, **aun sin** destacar como una de las celebraciones de carnaval más conocidas, es el desfile más largo del mundo.

- **A pesar de** su directa relación con la fiesta católica de los Santos Difuntos, hay constancia de que el Día de Muertos ya era celebrado por mexicas o mayas antes de la llegada de los españoles. Así pues, esta conmemoración se ha heredado a través de los siglos hasta hoy.

- La Patinata tiene como objetivo que los venezolanos vayan a misa el 25 de diciembre en bici o sobre patines, **pese a que** muchos lo hagan no para ir a misa, sino como una simple tradición que viene de sus antepasados y que ellos quieren dejar a sus descendientes.

- La Unesco realiza un trabajo de defensa de los Bienes Inmateriales de la Humanidad que, **por más** complicado **que** es su catalogación y descripción, reúne tradiciones, folclore, artes, usos, costumbres, ritos, monumentos y colecciones de artesanía de todo el mundo.

b. ▶ **Busca entre las palabras subrayadas de la actividad anterior cuál corresponde a cada definición.**

1. Ascendiente de una persona.
2. Recibir algo de alguna persona fallecida o situación pasada.
3. Forma de transmitir los conocimientos o tradiciones de boca en boca, sin escritura.
4. Colección de frases hechas y dichos populares propias de un idioma y una cultura.
5. Costumbre, ceremonia.
6. Objetos que se realizan de forma manual y personal.
7. Hijo, nieto... o cualquier persona que procede de otra.
8. Conjunto de creencias, costumbres, artesanías, etc., tradicionales de un pueblo.
9. Homenaje, acto de hacer memoria de un acontecimiento.
10. Conjunto de las personas de un pueblo, región o nación.

La Catrina, Día de Muertos (México)

2 Amplía tus recursos para hablar de impedimentos

a. ▸ **Fíjate en los textos anteriores y completa la explicación.**

Gramática

CONECTORES CONCESIVOS

Aun + ...
  Ejemplo: ....

Aun sin + ...
  Ejemplo: ....

Pese a/A pesar de + ... o infinitivo
  Ejemplo: ....

Pese a que/A pesar de que + indicativo o .... (es decir, se usa igual que *aunque*)
  Ejemplo: ....

Por más/mucho/poco que + ... o subjuntivo (es decir, se usa igual que *aunque*)
  Ejemplo: ....

b. ▸ **Relaciona y pon el verbo en la forma adecuada.**

1. Todas las culturas tienen tradiciones y celebraciones muy parecidas...

2. La cumbia es un sincretismo de ritmos africanos, indígenas y españoles (andaluces y gallegos) típico de Panamá...

3. **Aun** (haber) ...habido......... crisis o (tener) ...tenido......... problemas económicos,

4. El tejido andino es una de las formas de artesanía más complejas y valoradas...

5. En Costa Rica, **a pesar de que** las cosas (estar) ...están..... cambiando y (evolucionar) ...evolucionen... rápidamente...

6. Las recetas de los platos típicos cubanos se transmiten fundamentalmente de forma oral...

7. **Pese a** (ser) .... una pequeña ciudad minera,

8. Los argentinos son muy hospitalarios y, ...

a. ... celebrar y conmemorar son parte de la esencia humana. La gente participa en ferias y carnavales...

b. la forma de comportarse en las fiestas y tradiciones depende mucho del sexo de la persona y hay una gran diferencia entre lo que se espera del hombre y de la mujer.

c. **pese a que** actualmente (poder) .... encontrar algunos recetarios en las librerías o en Internet.

d. **aun sin** (conocer, a ti) .... bien, te invitan a un asado.

e. **por mucho que** haya gente se (esforzar) .... en buscar las diferencias.

f. ... en Oruro (Bolivia) tiene lugar uno de los carnavales más importantes del mundo, que es Patrimonio de la Humanidad.

g. **por más que** los turistas (pensar) .... que es fácil de hacer cuando ven a los indígenas vendiendo tan baratas sus ropas en los mercados.

h. **a pesar de que** se (asociar) .... únicamente con Colombia.

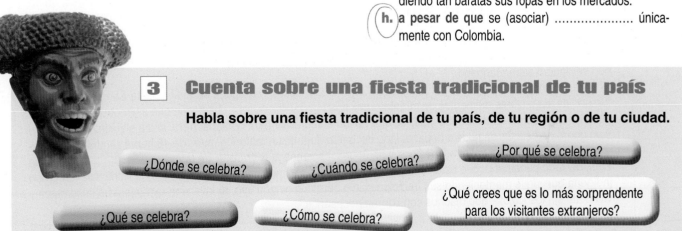

3 Cuenta sobre una fiesta tradicional de tu país

Habla sobre una fiesta tradicional de tu país, de tu región o de tu ciudad.

¿Dónde se celebra?

¿Cuándo se celebra?

¿Por qué se celebra?

¿Qué se celebra?

¿Cómo se celebra?

¿Qué crees que es lo más sorprendente para los visitantes extranjeros?

Paso 3
Lee y escribe
Un rincón de tu ciudad

1 Lee y conoce las opiniones de los lugareños

a. ▸ **Lee la experiencia viajera de esta chica argentina que recorrió Latinoamérica y complétala con las palabras del cuadro.**

> devoré • amurallada • los parajes • travesía • se disipó • pequeñez • unos tramos • velero • archipiélago • me refugio • el cráter

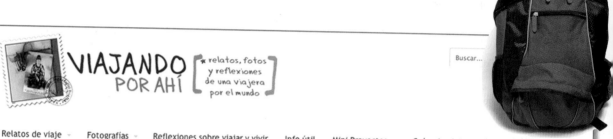

VIAJANDO POR AHÍ [*relatos, fotos y reflexiones de una viajera por el mundo*]

Buscar...

Relatos de viaje ▾   Fotografías ▾   Reflexiones sobre viajar y vivir   Info útil   Mini Proyectos ▾   Guías de viaje ▾   + ▾

En 2008 hice mi primer viaje largo como mochilera: entre enero y octubre de aquel año viajé por tierra por Bolivia, Perú, Ecuador, Colombia, Panamá, Costa Rica, Nicaragua y Honduras. **(Algunas etapas)** .... viajé sola y otros los recorrí acompañada. Descubrí que Latinoamérica es uno de mis lugares preferidos en el mundo y confirmé mi pasión por los viajes y por entrar en contacto con otras culturas y personas.

En ese viaje encontré rincones maravillosos y personas que siempre recordaré. Estos son algunos de **(los lugares)** .... en los que **(me escondo)** .... con la imaginación cada vez que necesito pensar en cosas lindas:

La primera vez que caminé por un desierto de arena fue en el desierto de Ica, en Perú, y me encantó sentir cómo se me hundían los pies a cada paso que daba. Nos perdimos unas horas en medio de la nada y la sensación de libertad y **(insignificancia)** .... fue impresionante.

Unas semanas más tarde, hicimos una excursión al lago de Quilotoa (Ecuador), en la que tuvimos que cambiar de transporte varias veces y hacer el último tramo a dedo en un camión. Cuando llegamos, todo el pueblo estaba cubierto de niebla y casi no había gente. Bajamos una escalerita y empezamos a descender por la niebla; cuando **(desapareció)** ...., nos encontramos de frente con un inmenso lago y en ese momento nos dimos cuenta: estábamos descendiendo por **(la boca)** .... de un antiguo volcán. Nos quedamos ahí el día entero, escuchando el silencio, juntando flores de distintos colores y observando las formas imposibles de las rocas.

Siempre había soñado con llegar a Cartagena de Indias, en Colombia. No sé por qué, pero hay algo de esa ciudad caribeña que me atrae mucho. Cuando por fin, después de cinco meses de viaje por Sudamérica, llegué, no me sentí decepcionada. Me acuerdo de que me compré *Cien años de soledad*, de Gabriel García Márquez, y lo **(leí con gran interés)** .... en pocos días, sentada sobre la muralla del centro histórico frente al mar. Sin embargo, lo que más me gustó de Cartagena fue Getsemaní, el barrio que está fuera de la ciudad **(rodeada de murallas)** ...., ese lugar un poco más sucio, menos conservado, menos turístico y más auténtico, con verdadero sabor caribeño.

El viaje de cinco días en **(barco de vela)** .... desde Cartagena de Indias hasta San Blas (Panamá) fue uno de los mejores momentos de mi **(viaje por mar)** .... La noche que salimos, hubo tormenta eléctrica en medio del mar Caribe y pensé que no iba a sobrevivir para contarla, pero, al día siguiente, salió el sol y un grupo de delfines se puso a nadar al lado del barco durante un ratito. Después de 48 horas seguidas de navegación, sin ver más que ballenas, delfines y tiburones, llegamos al **(conjunto de islas)** .... de San Blas, del lado panameño, que está conformado por 365 islas y habitada por la comunidad de Kuna Yala, un grupo indígena que sigue manteniendo sus tradiciones. No permiten ningún tipo de inversión extranjera en la comarca y viven ahí sin los «lujos» que muchos consideran necesarios.

Adaptado de *viajandoporahi.com*

31
b. ▸ **Ahora escucha las opiniones de los lugareños y otros visitantes de los lugares donde fue la mochilera y di cuáles de las afirmaciones son verdaderas.**

V   F

1. El chico que habla de Perú dice que, si hubiera conocido a la chica mochilera, le habría aconsejado que fuera a Punta Negra. ☐ ☐

2. La chica que da su opinión sobre Ecuador comentó que, de haber tenido la oportunidad, la mochilera habría podido ir a las Islas Galápagos, su lugar favorito. ☐ ☐

3. Si hubiera estado en su lugar, afirma la chica que da consejos sobre Colombia, no habría perdido el tiempo en Cartagena de Indias y habría ido al valle de Cocora. ☐ ☐

4. El chico que afirma conocer bien Panamá dice que, si la viajera hubiera ido a Bocas del Toro, le habría encantado y opina que, si no hubiera tenido que volver a su trabajo, seguro que todavía estaría allí disfrutando de sus playas. Incluso llega a decir que, si ella hubiera podido, no habría vuelto. Además, apunta que San Blas no merece mucho la pena. ☐ ☐

5. El mismo chico afirma que estuvo a punto de tener la misma experiencia hace un par de meses y que, de haber podido dejar el trabajo desde entonces hasta el próximo año y hacer el viaje por Latinoamérica, estaría ahora mismo disfrutando de las obras de Diego y Frida en México. ☐ ☐

2 **Aprende a expresar condiciones imposibles**

a. ▸ **Busca en las frases anteriores ejemplos para completar la explicación.**

Gramática

ORACIONES CONDICIONALES IMPOSIBLES

Si + pretérito pluscuamperfecto de subjuntivo, condicional simple
• *Si no hubiera tenido que volver a su trabajo, seguro que todavía estaría allí disfrutando de sus playas.*
Si + pretérito pluscuamperfecto de subjuntivo, condicional compuesto
• ......Si hubiera conocido......
De + participio perfecto, condicional simple
• ......de haber podido......
De + participio perfecto, condicional compuesto
• ......de haber tenido......

b. ▸ **Completa.**

1. De (ir, yo) .... a estudiar español a Santiago de Chile, como pensaba cuando estudiaba en la universidad, ahora no (tener) .... tantos problemas en mi relación con los clientes latinoamericanos y españoles.

2. Si (salir, nosotros) .... de la isla más temprano, ahora (poder) .... estar viendo el desfile de Carnaval, pero, cuando lleguemos, ya habrá terminado.

3. De (saber, yo) .... que os gustaba la historia, (organizar) .... una excursión a las ruinas aztecas. La próxima vez, iremos, ¿vale?

4. Mi madre (comprar) .... unos alfajores y unas facturas típicas argentinas para después del asado si (saber) .... que ibais a venir.

5. Si (venir, vosotros) .... a mi país aquella vez, (probar) .... el sancocho, una sopa de ñame y verduras que comemos en Panamá habitualmente.

3 **Describe un rincón de tu ciudad**

Ponte en el lugar de los lugareños que opinan sobre los lugares turísticos y escribe un texto en el que descubras algunos rincones poco conocidos de tu país o de tu ciudad.

Paso 4
Repasa y conversa
Cómo descubrir una cultura

1 Repasa los pasados

a. ▶ **Subraya la forma adecuada.**

1. Por favor, *quería/quise* una maleta que me sirva de equipaje de mano.
2. Me *encontré/encontraba* ascendiendo cuando me *di/había dado* cuenta de que me *olvidé/había olvidado* la cámara.
3. En la vida, *he cruzado/crucé* el charco, esta es la primera vez que lo hago.
4. Cuando *fui/era* más joven, *soñé/soñaba* con dar la vuelta al mundo con tan solo una mochila.
5. Juan Sebastián Elcano *nace/había nacido* en Guetaria en 1476 y es célebre porque *dio/daba* la primera vuelta al mundo.
6. Durante mis vacaciones, *he viajado/viajé* siempre por España, pero hasta ahora nunca *estuve/he estado* en sus islas.
7. Lo cierto es que *había pensado/he pensado* en hacer un viaje por México, pero al final se *transformó/había transformado* en un viaje por toda Centroamérica.
8. Lo más increíble que me *ha pasado/pasaba* es que, mientras *viajé/viajaba* por Chile, me *encontré/encontraba* con mi vecino.

b. ▶ **Completa con la forma adecuada del verbo.**

1. Es la primera vez que (viajar) .... a Ecuador y me ha encantado.
2. Por favor, (querer) .... cambiar la fecha de mi vuelo, si es posible.
3. Si te digo la verdad, nunca se (plantear) .... con anterioridad hacer un interrail hasta el año pasado.
4. Cuando estaba en Santiago, (ver) .... un café que (ser) .... una réplica del Café Gijón de Madrid.
5. Perdón, ¿de qué (estar) .... hablando antes de que empezara la película?
6. Cristóbal Colón (fallecer) .... en Valladolid el 20 de mayo de 1506.
7. Hasta el año pasado no (cruzar) .... el estrecho de Gibraltar para visitar Melilla.
8. Antes de convertirse en piloto, se (plantear) .... la posibilidad de ser marinero.

2 Repasa las concesivas

a. ▶ **Elige la opción correcta.**

1. Viajé muchísimo este verano *a pesar de que/a pesar de* no tenía mucho dinero.
2. *Por mucho que/Por poco que* lo intentes, no lograrás convencerme de que el tren es mejor que el avión.
3. Este es uno de los mejores restaurantes de la ciudad *pese a que/pese a* la localización no es la mejor.
4. Este hotel *aún/aún no* tiene cinco estrellas, pero, si sigue mejorando su servicio, pronto las tendrá.
5. Nunca probarás un café mejor que el de la cafetería que hay al lado de mi casa, por *más/poco* que se sigan abriendo cafeterías nuevas.
6. *Aunque no/Aun sin* tener la bandera azul de la Unión Europea a la calidad, esta es una de las mejores playas de la costa.

b. ▶ **Construye frases relacionando las oraciones con un conector discursivo.**

3 **Repasa** las condicionales

a. ▸ **Completa con la forma adecuada del verbo.**

1. De (saber, nosotros) .... que venías a visitarme, (preparar, nosotros) .... un buen plan para que conocieras mi ciudad.
2. No (tener, tú) .... tantos problemas si (preparar, tú) .... tu viaje con antelación.
3. Te (ayudar, ellos) .... a solucionar tu problema con los billetes de avión si se lo (decir, a ellos) ....
4. Si (saber, yo) .... que había tantos turistas en las cataratas de Iguazú, (elegir, yo) .... otra fecha para visitarlas.
5. De (hablar, yo) .... quechua, (intentar, yo) .... comunicarme en esta lengua en Perú.
6. (Ir, nosotros) .... a La Bombonera de (saber, nosotros) .... que el Boca Juniors jugaba cuando estuve en Buenos Aires.

b. ▸ **Reacciona ante estas situaciones usando una frase en condicional.**

El tren sale a las 12:00 y ya son casi, ¡no me da tiempo a llegar a la estación!

Lo único de lo que me arrepiento de mi viaje por América es que no pude ver el lago Atitlán en Guatemala.

Hace diez minutos el vuelo que quiero costaba la mitad, ¡ahora tendré que pagar el doble!

Me encantaría comer un buen asado en el restaurante que me recomendaste, pero no queda ninguna mesa libre.

No sabía que Shakira actuaba ayer, ¡me habría encantado verla!

Quieren cobrarme por exceso de equipaje 40 €, ¡esto es increíble!

4 **Repasa y amplía** el vocabulario de los viajes y las vacaciones

Completa con las palabras y expresiones del cuadro.

> viaje de novios • turismo rural • itinerario • recorrer • primera clase • pensión
> • albergues • bandera roja • quemó • flotador

1. Cuando era joven, siempre que viajaba, me alojaba en .... juveniles, era barato y un buen sitio para conocer a gente.
2. Cuando vayas a la piscina, recuerda ponerle al niño el .... porque todavía no sabe nadar.
3. Marcos se pasó el día en la playa y, como no se puso protección, se ....
4. Mis padres, cuando se casaron, fueron de .... a Tenerife.
5. Desde mi punto de vista, viajar en .... no sale rentable, es demasiado caro.
6. En el telediario, acaban de decir que, debido al fuerte viento, habrá .... en todas las playas de la provincia.
7. Para visitar Lima, te recomiendo este ...., ya que pasa por los principales monumentos de la ciudad.
8. El .... es una alternativa al turismo de sol y playa de la mayoría de la costa española.
9. Si lo que quieres es ahorrar dinero en tu viaje, la opción más barata de alojamiento es una ....
10. Mi sueño es .... toda Latinoamérica en un gran viaje.

5 | Da tu opinión sobre cómo viajar y descubrir una cultura

Elige la mejor forma para descubrir una nueva cultura, pero antes, prepárate. Lee los siguientes textos y comenta con tus compañeros las peculiaridades de cada tipo de viaje, si lo harías o no y por qué.

Un original viaje cultural es el que propone el «Tren de Cervantes» que une Madrid con Alcalá de Henares. Durante el trayecto, de 25 minutos, el viajero disfrutará de las representaciones de un grupo de actores que, ataviados a la usanza del siglo XVII, representan obras de Cervantes y ofrecen a los viajeros productos típicos de la repostería de Alcalá. Una vez en la ciudad de Cervantes, el programa incluye una visita guiada por los monumentos más representativos de la ciudad, animada también con representaciones teatrales.

Adaptado de *renfe.com*

Conoce a la comunidad Llaguepulli

¿Quieres vivir una experiencia única? Esta es tu oportunidad, vive con dieciocho familias de la comunidad Llaguepulli, en Chile, durante un mes. Aprenderás todo sobre ellos, gastronomía, a tejer ropas, conocer las diferentes hierbas medicinales de la selva tropical, aprender sus ritos y danzas e incluso a hablar su lengua, el mapuche.

Adaptado de *turismonacional.cl*

Rutas cicloturistas por La Pampa

Nuestras marchas cicloturistas son para que te lo pases en grande y disfrutes descubriendo pueblos, ranchos y los famosos asados. Nuestras rutas son de dificultad técnica baja, pasan por caminos, pistas y carreteras aptas para todos. Las rutas están pensadas para la práctica del cicloturismo.

Adaptado de *ciclorutas.com*

México: Riviera Maya

- Vuelo especial directo Madrid - Cancún - Madrid con la compañía Pullmantur Air.
- 7 noches de estancia en el hotel seleccionado.
- Régimen de todo incluido.
  Traslados aeropuerto - hotel - aeropuerto.
- Asistencia de guía.
- Seguro básico de viaje.
- Tasas de aeropuerto (152 €).

1.º DÍA: ESPAÑA - CANCÚN
Vuelo especial directo a Cancún. Llegada y traslado por carretera al hotel seleccionado en Riviera Maya. Alojamiento.

2.º a 7.º DÍA: RIVIERA MAYA
Días libres en régimen de todo incluido. Posibilidad de realizar excursiones a zonas arqueológicas, actividades deportivas, visitas a museos, etc. Alojamiento.

8.º DÍA: CANCÚN - ESPAÑA
Traslado por carretera al aeropuerto de Cancún y vuelo de regreso. Noche a bordo.

9.º DÍA: ESPAÑA
Llegada a España. Fin del viaje.

Adaptado de *destinia.com*

PARA DAR LA OPINIÓN
- A mí me encantaría hacer el viaje…
- Yo jamás haría…

PARA EXPRESAR DUDAS ENTRE ALTERNATIVAS
- Del primero/segundo me atrae/me gusta/me llama la atención el hecho de que…
- Del tercero/cuarto no me gusta/me echa para atrás/me genera dudas el que…

PROPONER ALTERNATIVA
- Yo, para conocer de verdad una cultura, lo que haría sería…
- Yo me imagino el viaje del siguiente modo…
- Lo que nunca haría sería… en cambio, no dejaría pasar la oportunidad de…

Sobrevive en la sociedad de consumo

Paso 1 Comprende e interactúa	expresando tu opinión sobre las formas de consumir.
Paso 2 Lee y escribe	sobre el comercio justo.
Paso 3 Escucha y cuenta	cuándo te has sentido engañado por la publicidad.
Paso 4 Repasa y conversa	sobre la mejor forma de consumir.

Paso 1
Comprende e interactúa
Formas de consumir

1 ## Haz un cuestionario sobre tus hábitos de consumo

a. ▶ **Responde a las preguntas.**

CONSUMO SUSTENTABLE
Ministerio de Salud

1. ¿Por qué decides comprar algún producto? Ordénalos de mayor a menor.
   a) Si el precio es adecuado.
   b) Si lo necesito.
   c) Si está de moda.
   d) Si es de buena calidad.
   e) Si es respetuoso con el medio ambiente.

2. ¿Qué criterio es el más importante a la hora de comprar determinada prenda de ropa? Elige uno.
   a) El precio.
   b) La calidad.
   c) Está de moda y todos la tienen.
   d) La necesidad que tengo.
   e) No sé.

3. ¿Qué criterio es el más importante a la hora de adquirir los productos de higiene personal? Elige uno.
   a) El precio.
   b) La calidad.
   c) Están de moda y todos los tienen.
   d) La necesidad que tengo.
   e) No sé.

4. ¿Qué criterio es el más importante a la hora de comprar los alimentos? Elige uno.
   a) El precio.
   b) La calidad.
   c) Están de moda y todos los tienen.
   d) La necesidad que tengo.
   e) No sé.

5. ¿Lees las etiquetas de los productos que compras?
   a) Sí.
   b) No.
   c) Depende.
   d) No sé.

6. ¿Encuentras la información que necesitas en las etiquetas de los productos que compras?
   a) Sí.
   b) No.
   c) Depende.
   d) No sé.

32

b. ▶ **Escucha, completa la tabla especificando el orden de los criterios en cada caso y compara tus respuestas con los resultados de las primeras cuatro preguntas de la encuesta (decisión y criterios de compra).**

Criterios \ Productos	General	Ropa	Productos de higiene	Comida
Precio				
Necesidad				
Moda				
Calidad				
Ecológico				

Aprende a expresar la causa

a. ▸ **Lee la explicación y subraya la opción correcta.**

1. La mayoría lee las etiquetas *por/solo porque* costumbre y para mirar el precio.

2. Consideran que la información no es suficiente, *ya que/debido a* muchas veces falta información sobre el modo de empleo.

3. Algunos piensan que las etiquetas responden a todas las dudas *por/a causa de que* no son consumidores exigentes.

4. *Es que/Como* más de la mitad no entiende el etiquetado actual, merece la pena intentar cambiar esta situación.

5. *Por/Gracias a* todos estos datos es necesario un cambio para informar del producto adquirido de la forma más eficaz posible.

6. Pero la solución podría estar cerca *por culpa de que/debido a que* un grupo de fabricantes está dispuesto a unificar los criterios para crear un etiquetado.

¡RECUERDA!  Gramática

Cuando negamos una causa, usamos subjuntivo.

No es que fuera caro, sino que la calidad era malísima.

EXPRESAR CAUSA · Gramática

Es que + indicativo
Excusa, pretexto o justificación.
Fui ayer y lo compré. Es que no pude resistirme.

Debido a/A causa de + sustantivo/*que* + indicativo
En registros formales o en la lengua escrita.
Van a cambiar el sistema de etiquetado a causa de que cada vez hay más quejas.

Ya que/Puesto que/Dado que + indicativo
Se presupone que la causa es conocida por los hablantes.
Ya que vas al centro comercial, cómprame los zapatos de los que te hablé.

Por + sustantivo, adjetivo o infinitivo
Suele tener una connotación negativa.
Le echaron de la tienda por impuntual.

Que (con valor de *porque*) + indicativo
En la lengua oral, justifica una orden o un consejo o un deseo.
No compres esa marca, que tiene mucha grasa.

Solo porque + indicativo
Enfáticamente.
A mí no me gustaba, pero lo compré solo porque ella insistió.

Gracias a/Por culpa de + sustantivo/*que* + indicativo
La causa es bien o mal aceptada, respectivamente.
Fuimos allí gracias a que nos lo recomendó Ángel y nos encantó.
No se decidió a comprar esa chaqueta por culpa del precio.

---

b. ▸ **Elige la forma adecuada del verbo.**

1. –Han alquilado esta casa porque el banco no les daba la hipoteca para comprar el chalé.
   –¿Seguro? Creo que no fue porque no les (dar) .... la hipoteca, sino porque al final (costar) .... casi 30 000 € más de lo que pensaban.

2. –Como (tener) .... una experiencia en Panamá hace unos años con niños indígenas, Elena (ser) .... muy sensible con estos temas y, por eso, siempre (comprar) .... todo en tiendas de comercio justo.
   –No, no solo es que le (impactar) .... lo que vivió, sino que la experiencia la (reforzar) .... en su opción.

3. –Siempre está con la misma historia: mira la etiqueta, comprueba que sean productos ecológicos... ¡Qué pesado! Parece que se (llevar) .... una comisión de cada producto verde.
   –¡Tienes razón! Pero no es que se (llevar) .... comisión, sino que colabora con una ONG... ahí tienes el porqué de su insistencia en esos temas.

4. Estamos rediseñando la imagen de nuestra marca. Bueno, de hecho, no solo es que (querer) .... modernizar la imagen, sino que (ser) .... una demanda de nuestros clientes, que piensan que estamos pasados de moda.

---

3 Interactúa expresando tu opinión sobre las formas de consumir

Elige uno de los temas, prepara cuatro preguntas para conocer la opinión de tu compañero y habla con él.

Consumidores exigentes   Víctima de la moda   Necesidades reales o impuestas

1 Lee una entrevista sobre el consumo ético

a. ▸ Relaciona las preguntas con las respuestas, subraya la frase que utilizarías como titular por ser la más destacada y justifica tu elección.

[1] El comercio justo no es una práctica nueva. ¿Se ha notado la evolución en este campo concreto?

a. Pues, casualmente, la cooperativa con la que trabajamos en este proyecto es la misma con la que trabajé hace 10 años, Creative Handicrafts. En aquel momento, yo iba con la intención de enseñarles confección, pero ellas me enseñaron más a mí. Llegaban al taller y se ponían a hablar de sus problemas, querían hablar con el propósito de crecer como personas y como mujeres. Después de diez años han progresado, ahora tienen voz.

[2] ¿Cómo y cuándo empieza tu relación con la moda más solidaria?

b. Pues la primera vez era tan joven que volví en una especie de trance. Yo siempre he sido muy idealista y esa experiencia fue el detonante que forjó mi personalidad. Pensaba:«¿Para qué estamos en este mundo si no es para ayudar a nuestros semejantes?» y empecé a ser consciente de las desigualdades de la sociedad. Supe entonces que quería trabajar a fin de ayudar a terminar con esas injusticias.

[3] ¿Y cuando volvías a España?

c. Sí, y me siento muy afortunada. Nos reunimos con Hoss Intropia e Intermón Oxfam a efectos de definir la colección de primavera-verano 2012, diseñamos los patrones y viajamos a la India para realizar los prototipos y buscar materiales.

[4] ¿Y has terminado diseñando la colección Veraluna Comercio Justo?

d. A los 19 años, viajé a la India con la idea de realizar un proyecto de voluntariado de Diseño para el Desarrollo con el que diseñamos una colección de ropa para vender en la India y España. Queríamos hacer una colección de ropa que se comprara porque gustaba y no solo con el propósito de hacer un acto de solidaridad. El resultado fue espectacular. Nosotras hacíamos los diseños en España y en la India enseñábamos técnicas de confección a las mujeres para que los realizaran.

[5] ¿Y cómo ha sido el trabajo con las mujeres en la India?

e. Toda la moda puede ser comercio justo sostenible con la idea de que la sociedad vaya a la moda y sea solidaria. Todos tenemos que vestirnos, así que me gustaría convenceros de que trabajar de forma justa se puede convertir en la única forma de trabajar. ¿Para qué explotar a los trabajadores si otro comercio es posible?

[6] ¿Crees que estas iniciativas restan frivolidad a la moda?

f. Sí, se ha avanzado bastante, sobre todo en el conocimiento. La información es mayor y se ha hecho un gran esfuerzo haciendo campañas, pero el desconocimiento aún es grande. La idea es que se abran estas tiendas con el objetivo de que la gente conozca qué significa y lo que supone, que se plantee qué es lo que está consumiendo.

Adaptado de *intermonoxfam.org*

DA LA CARA POR EL PLANETA. ELIGE COMERCIO JUSTO
Campaña de Comercio Justo por la justicia medioambiental y comercial

b. ▸ Di cuáles de las siguientes afirmaciones corresponden a lo que dice la diseñadora entrevistada y modifica las que no para que expresen su opinión.

1. Mi objetivo principal con la cooperativa Creative Handicrafts era que las mujeres aprendieran a hacer ropa por sí mismas.
2. Tras la experiencia en Creative Handicrafts, me volví una persona idealista, para mí fue una experiencia determinante.
3. Nuestro único objetivo es diseñar prendas de vestir que estén a la moda, que gusten y, sobre todo, que se vendan.
4. La mayoría de las asistentes a los cursos de formación de los talleres no tenía ninguna experiencia previa.
5. Pensamos que el 90 % del comercio generado con la moda puede ser comercio justo, no es una utopía.
6. Nuestra intención es que el cliente sea consciente lo que compra, de cómo se ha hecho el producto y cuál ha sido su elaboración hasta llegar a sus manos.

c. ▸ **Di cuál de las palabras marcadas en la entrevista anterior corresponde a estos términos y definiciones.**

1. sociedad igualitaria para el bien común	**2.** actos y esfuerzos dirigidos a un propósito	**3.** algo que se mantiene por sí mismo	**4.** conjunto de acciones no obligatorias
5. constituir	**6.** diseño y creación	**7.** desencadenante	**8.** ejemplar de modelo

2 Conoce algunos conceptos y expresa finalidad

a. ▸ **Busca en la entrevista ejemplos de la explicación. Después, pon el verbo en la forma adecuada y relaciona cada concepto con su definición.**

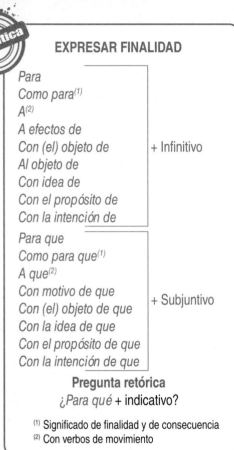

Gramática

EXPRESAR FINALIDAD

Para
Como para[(1)]
A[(2)]
A efectos de
Con (el) objeto de   + Infinitivo
Al objeto de
Con idea de
Con el propósito de
Con la intención de

Para que
Como para que[(1)]
A que[(2)]
Con motivo de que   + Subjuntivo
Con (el) objeto de que
Con la idea de que
Con el propósito de que
Con la intención de que

Pregunta retórica
¿Para qué + indicativo?

[(1)] Significado de finalidad y de consecuencia
[(2)] Con verbos de movimiento

1. Comercio justo

2. Obsolescencia programada

3. Consumo responsable

4. Necesidades creadas

a. Es la planificación de la vida útil de un producto, a fin de que se (estropear) .... o se (romper) .... pasado el tiempo decidido durante el diseño y creación del mismo.

b. Es una propuesta para (cambiar) .... los hábitos de consumo para que estos se (ajustar) .... a sus necesidades reales, optando por opciones que favorezcan la conservación del medio ambiente y la igualdad social.

c. Steve Jobs decía que muchas veces la gente no sabe lo que quiere hasta que se lo enseñas, es decir, las empresas crean los productos para que la gente se (dar) .... cuenta de que los necesitan.

d. Es una forma de comercio alternativo, pensada con la idea de que se (establecer) .... una relación voluntaria y justa entre los productores y los consumidores.

b. ▸ **Comenta con tus compañeros.**

¿Has comprado alguna vez productos de comercio justo?

¿Consumes según tus necesidades o caes en las trampas consumistas?

¿Tienes alguna experiencia de obsolescencia programada?

3 Escribe tu opinión sobre el comercio justo

Elige la tesis que más se acerca a tu opinión sobre el tema y escribe un texto con tu opinión sobre el comercio justo a partir del título elegido.

Una utopía tan deseable como inalcanzable

Una lucha desigual contra el poder de la publicidad y el *marketing*

Una nueva forma de consumir es posible

Paso 3
Escucha y cuenta
Engañado por la publicidad

1 ## Escucha algunos consejos para reclamar ante la publicidad engañosa

33

a. ▷ **¿Sabes qué es la publicidad engañosa? Según tu opinión, ¿estos ejemplos corresponden a publicidad engañosa o no? Después, escucha y comprueba.**

En el anuncio no decía que la oferta no era válida los fines de semana	Me dijeron que el precio era más alto porque estaba mal en el folleto	En el anuncio decía *desde 9 000 €*, pero al final costaba más de 11 000 €	No sé el precio antes, pero la etiqueta decía que tenía un 30 % de descuento
Sí ☐ No ☐	Sí ☐ No ☐	Sí ☐ No ☐	Sí ☐ No ☐

b. ▷ **Escucha de nuevo y di si estas afirmaciones son verdaderas o falsas.**

	V	F
1. Hacer una oferta sin decir el precio original es legal.	☐	☐
2. Realizar una oferta de un producto con un precio más bajo del real no se considera publicidad engañosa.	☐	☐
3. Incluir en la oferta algún tipo de concurso que nunca llega a realizarse es publicidad engañosa.	☐	☐
4. La primera vía para denunciar a una empresa por publicidad engañosa es el tribunal.	☐	☐
5. La denuncia a una empresa por publicidad engañosa solo puede ser realizada por un particular.	☐	☐
6. El problema de solicitar la retirada de un anuncio por publicidad no real es que la campaña publicitaria suele terminar antes de que llegue la orden.	☐	☐

2 ## Conoce tipos de publicidad y nuevas formas de expresar consecuencia

a. ▷ **Relaciona los tipos de publicidad con su definición.**

Publicidad de servicio público

Publicidad subliminal

Publicidad sensorial

Publicidad de marca

1. Se comunica un mensaje a favor de una buena causa, como dejar de conducir en estado de ebriedad o prevenir el abuso infantil, de ahí que estos anuncios generalmente sean creados por profesionales de la publicidad sin cargo alguno y los medios a menudo donan su tiempo y espacio necesarios de modo desinteresado.

2. Es una publicidad invisible para los sentidos que trata de vender utilizando las necesidades reprimidas en el subconsciente o el inconsciente de los individuos, de ahí la polémica que siempre rodea a este tipo de estrategia. ¿Por qué queremos palomitas cuando entramos en un cine?

3. Plantea el sentido de vivir una compra como una experiencia. Oler, saborear, sentir, mirar y escuchar, de modo que esta tendencia funciona de manera más efectiva cuando se trata de un producto que se vincula emocionalmente con el cliente. ¿Por qué huele bien o hay música en las tiendas de ropa?

4. Podemos pensar que las grandes empresas son tan conocidas que no necesitan publicidad, pero es todo lo contrario. El tipo de publicidad que hacen se dirige a reforzar su marca y a asociarla con determinados valores. ¿Se te ocurre algún ejemplo?

b. ▸ **Busca ejemplos en los textos para completar la explicación.**

EXPRESAR CONSECUENCIA

De manera/modo/forma que, con lo que, por lo que, por (lo) tanto, (y) así, de este/a modo/manera/forma, en consecuencia, por consiguiente

....

Tan + adjetivo/adverbio + *que*, verbo + *tanto que, tanto/a/os/as* + sustantivo + *que*

....

Luego
En el anuncio no decía nada de eso, luego me sentí engañado e hice la denuncia.
De ahí + sustantivo

....

De ahí que + subjuntivo

....

c. ▸ **Completa con conectores de consecuencia sin repetir ninguno.**

1. Las campañas son .... agresivas .... siempre acabamos comprando lo que nos ofrecen.
2. Cuando veo un anuncio, recuerdo la historia, la música y las imágenes, pero no qué vende, ... no sea el mejor destinatario para la publicidad por televisión.
3. Yo compro según mis necesidades, ... todos los esfuerzos de los publicistas en mí son estériles.
4. La aparición de famosos en los anuncios busca transmitir prestigio y confianza, ... suelen ser muy efectivas.
5. La campaña fue muy polémica porque las imágenes eran muy violentas y la retiraron, ... el fracaso absoluto y la pérdida de dinero.
6. Cada vez es más importante el *marketing* digital, ... el perfil del *community manager* cada vez es más demandado por las empresas.
7. Ya hay .... bombardeo publicitario .... cada vez son menos efectivas las campañas.
8. Los adolescentes son muy vulnerables a los anuncios publicitarios, ... son el principal objetivo de los creadores de las campañas.

3 **Cuenta un caso en el que te has sentido engañado**

Comenta con tu compañero alguna situación en la que pienses que has sido víctima de un caso de publicidad engañosa. ¿Cuándo ocurrió?, ¿qué pasó?, ¿puedes asociar la publicidad a alguno de los tipos que has visto en la actividad anterior?, ¿hiciste alguna reclamación?

1 Repasa las oraciones causales

a. ▶ **Elige la opción o las opciones adecuadas en cada caso.**

1. Se va a comprar el nuevo iPhone…
   - a) por moda.
   - b) porque esté de moda.
   - c) ya que está de moda.

2. Nunca compramos en este supermercado…
   - a) puesto que nunca tiene ofertas ni descuentos.
   - b) puesto no tener ofertas ni descuentos.
   - c) ya que no tiene ofertas ni descuentos.

3. Tuvimos un problema en una librería…
   - a) puesto que no me querían devolver el dinero.
   - b) ya que no quieran devolver el dinero.
   - c) como no querían devolverme el dinero.

4. Conseguimos el descuento…
   - a) gracias a los bonos que nos dieron.
   - b) porque nos lo dijeron los tíos.
   - c) ya que habíamos visto el anuncio.

5. No encontramos la tienda que nos dijeron…
   - a) gracias a las malas indicaciones.
   - b) por culpa de las malas indicaciones.
   - c) por las malas indicaciones.

6. Dejamos de venir a este centro comercial…
   - a) por sus precios.
   - b) por culpa de que tengan precios altísimos.
   - c) por culpa de sus altos precios.

7. Ellos han pedido en Navidad estos juguetes…
   - a) por culpa de los anuncios de la tele.
   - b) gracias a que los anuncien en la tele.
   - c) como los anuncian en la tele.

8. Adquirimos artículos de comercio justo…
   - a) gracias a la conferencia que escuchamos.
   - b) por ser solidarios.
   - c) que hay que ayudar a quien lo necesita.

b. ▶ **Subraya la opción adecuada.**

1. Nunca volveremos a este centro comercial *gracias a/por culpa de* los precios.
2. Lo haré sin pensarlo *solo porque/como* me lo pides tú.
3. *Como/Que* no conseguían más clientes, tuvieron que recortar personal en el Departamento de Ventas.
4. Se ha convertido en la tienda líder en su sector *gracias a que/por culpa de que* el servicio es excelente.
5. Quiero comprar productos de comercio justo, *gracias a/que* hay que ser solidario con los más desfavorecidos.
6. No me gusta esta marca *gracias a/por culpa de* su publicidad engañosa.
7. Al final no los invitaron a la gala de entrega de premios. *Como/Que* nunca venían, no les enviaron la invitación.

2 Repasa las oraciones finales

Pon el verbo en la forma adecuada y relaciona.

1. ¿Para qué (subir) ……………… los precios...
2. Buscaron alternativas con el objeto de (reducir) ………………
3. Crearon la etiqueta social…
4. Volvimos a la tienda…
5. Las ofertas de las empresas de telefonía están diseñadas…
6. Lanzaron una campaña muy agresiva…
7. ¿Para qué (hablar) ……………… de ética…
8. Sus competidores tienen unos precios demasiado buenos…

a. como para que (llegar) ……………… a ser líderes del sector.
b. al objeto de (conseguir) ……………… llegar a nuevos clientes.
c. si al bajar la calidad de su ropa están perdiendo clientes? Es una mala estrategia.
d. el daño al medio ambiente en el proceso de producción.
e. si todo el mundo sabe lo que hace?
f. a que (devolvernos) ……………… el dinero.
g. con el propósito de que el consumidor (tener) ……………… información clara de la empresa y del producto.
h. para que la gente (tener) ……………… que hacer sus cálculos y estudiar qué le interesa más.

3 **Repasa las oraciones consecutivas**

Completa libremente.

1. Los precios son tan altos que ....
2. Me compré unos pantalones y se rompieron a las dos semanas, de manera que ....
3. Hay sospechas de que usan mano de obra infantil para confeccionar sus prendas, de ahí ....
4. La crisis ha afectado a todos los bolsillos, por lo que ....
5. Vio el anuncio de la tablet, con lo que ....
6. Pertenezco a una ONG ecologista, en consecuencia ....
7. Me considero una compradora muy exigente, de ahí que ....
8. La gente vive para consumir, de modo que ....

4 **Repasa el vocabulario del consumo**

Completa con las palabras y expresiones del cuadro.

> estar de moda • en los medios • mirar las etiquetas • cooperativa • publicidad engañosa
> • obsolescencia programada • voluntariado • forjar

1. Los años que pasó en África en el proyecto de la ONG con la que colabora .... su carácter.
2. Los teléfonos móviles con la pantalla enorme .... aunque a mí no me parece que sean muy prácticos.
3. En el norte visitamos una .... de ganaderos, donde compramos quesos de gran calidad, naturales y a muy buen precio.
4. La agencia inmobiliaria con la que tuve el problema en verano ha sido demandada por .... ¡Estaba clarísimo que estaban intentando estafar a la gente!
5. En verano voy a hacer un .... en Centroamérica con la asociación Médicos del Mundo.
6. Vi un documental sobre la .... y entendí por qué se me había estropeado la tele, se me había roto el frigorífico y la batería del coche estaba a punto de gastarse.
7. Yo insisto en .... de los productos para saber dónde se hizo, cómo utilizarlo, cómo guardarlo. ¡Para eso están, digo yo!
8. Me da miedo que llegue este tiempo porque .... solo ponen anuncios de juguetes y los niños se vuelven locos... y nos vuelven locos a los padres.

5 ¿Qué falla cuando el *marketing* no funciona?

¿Crees que los anuncios de publicidad son efectivos? ¿Consideras que las inversiones en campañas de *marketing* son rentables? Coméntalo con tus compañeros, pero antes, prepárate.

a. ▸ **Lee estos casos y di si consideras si fue un éxito o un fracaso cada campaña.**

EL CASO RYANAIR... ¿ÉXITO O FRACASO?
Una de sus promociones consistió en ofrecer billetes gratuitos a todas las personas que se presentasen en la plaza de Cataluña de Barcelona portando pancartas en contra de otra conocida empresa aérea española.

EL CASO TULIPÁN... ¿ÉXITO O FRACASO?
Esta empresa dedicada a la fabricación de mantequilla y margarina decidió apostar (como casi todas las empresas) por las redes sociales y todo lo que ellas podían ofrecerle. Su campaña consistió en crear un recetario propio en Internet con recetas donde su producto apareciera como ingrediente.

EL CASO PRIL... ¿ÉXITO O FRACASO?
La empresa Henkel tiene una marca de lavavajillas denominada Pril. Queriendo darse a conocer más convocaron a través de la red social Facebook a los usuarios para que eligiesen el envase de dicho producto.

EL CASO McDONALD'S... ¿ÉXITO O FRACASO?
Esta empresa de comida rápida decidió hacer una campaña publicitaria poco dirigida por ellos y lo dejaron todo en manos de los usuarios de Twitter. Su campaña se llamaba #*McDStories* y pretendían que allí la gente contara sus experiencias e historias maravillosas asociadas con su restaurante...

b. ▸ **Ahora, relaciona cada caso con el final de la historia. ¿Cuáles son los motivos que crees que pueden hacer que una campaña publicitaria sea un éxito o un fracaso?**

1. Gran idea si no hubiese sido porque todas esas recetas provenían de otros blogs (incluidas fotos) a los cuales no se les había pedido permiso y ni tan siquiera se les citaba al final del texto.

Cuando los usuarios vieron la *estafa*, comenzaron a criticar a la empresa y a reclamar la autoría de las recetas presentadas. La empresa emitió un comunicado donde pedía disculpas y trató de defenderse argumentando que desconocía el funcionamiento de las redes sociales. Excusa vaga, pobre e inaceptable.

2. ¿Y con qué clase de relatos se encontraron? Pues os pongo un par de ejemplos: «Me encontré una uña en mi hamburguesa» y «Mi padre solía llevarnos como premio a comer allí, hoy mi padre es obeso y tiene diabetes. Lección aprendida».

Tuvo tanta repercusión que se convirtió en *trending topic* (TT) en menos de dos horas y la compañía tuvo que retirar el *hashtag* (palabra clave) y valorar los daños.

3. La gente participó, pero, al parecer, las propuestas enviadas no gustaron a la empresa y decidió obviarlas por completo eligiendo ella misma el diseño de la nueva botella.

Obviamente, esta actitud no gustó nada a los internautas y la reputación de la marca quedó por los suelos.

4. Fue tanta la afluencia de personas que no pudieron gestionarlo y se vivieron momentos de mucha tensión cuando la gente insultaba y exigía a gritos sus billetes a la jefa de *marketing* de la empresa (que tuvo que ser escoltada por la policía).

Posteriormente tuvieron que emitir un comunicado pidiendo disculpas por su gestión y prometiendo que entregarían los billetes que ofrecieron en su publicidad.

Establece tus pautas de convivencia

Paso 1 Lee y escribe	acerca de la importancia de la familia.
Paso 2 Comprende e interactúa	sobre asuntos de pareja.
Paso 3 Escucha y cuenta	una anécdota durante la convivencia.
Paso 4 Repasa y conversa	sobre saber convivir con los demás.

Paso 1
Lee y escribe
La importancia de la familia

1 Lee un reportaje sobre los nuevos modelos de familia

a. ▶ **Lee y coloca los párrafos donde corresponde.**

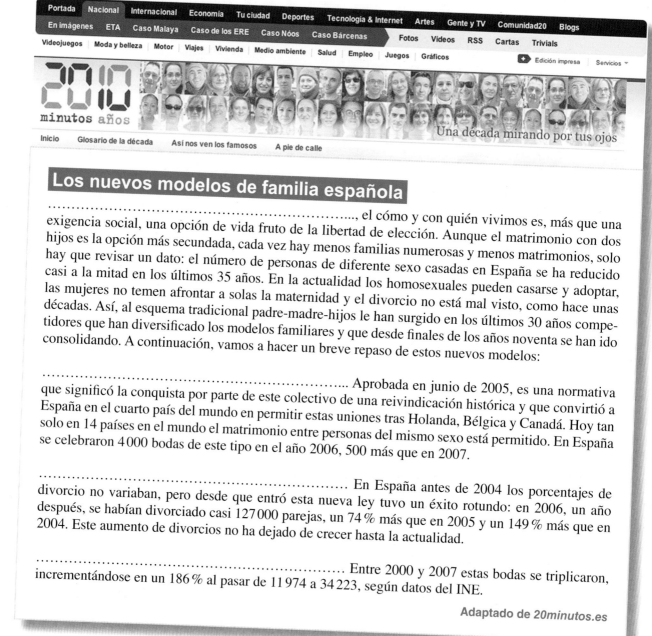

Los nuevos modelos de familia española

...., el cómo y con quién vivimos es, más que una exigencia social, una opción de vida fruto de la libertad de elección. Aunque el matrimonio con dos hijos es la opción más secundada, cada vez hay menos familias numerosas y menos matrimonios, solo hay que revisar un dato: el número de personas de diferente sexo casadas en España se ha reducido casi a la mitad en los últimos 35 años. En la actualidad los homosexuales pueden casarse y adoptar, las mujeres no temen afrontar a solas la maternidad y el divorcio no está mal visto, como hace unas décadas. Así, al esquema tradicional padre-madre-hijos le han surgido en los últimos 30 años competidores que han diversificado los modelos familiares y que desde finales de los años noventa se han ido consolidando. A continuación, vamos a hacer un breve repaso de estos nuevos modelos:

.... Aprobada en junio de 2005, es una normativa que significó la conquista por parte de este colectivo de una reivindicación histórica y que convirtió a España en el cuarto país del mundo en permitir estas uniones tras Holanda, Bélgica y Canadá. Hoy tan solo en 14 países en el mundo el matrimonio entre personas del mismo sexo está permitido. En España se celebraron 4000 bodas de este tipo en el año 2006, 500 más que en 2007.

.... En España antes de 2004 los porcentajes de divorcio no variaban, pero desde que entró esta nueva ley tuvo un éxito rotundo: en 2006, un año después, se habían divorciado casi 127000 parejas, un 74 % más que en 2005 y un 149 % más que en 2004. Este aumento de divorcios no ha dejado de crecer hasta la actualidad.

.... Entre 2000 y 2007 estas bodas se triplicaron, incrementándose en un 186 % al pasar de 11 974 a 34 223, según datos del INE.

Adaptado de 20minutos.es

1. Por último, otro fenómeno que se ha afianzado en esta década es el de los matrimonios mixtos, formados por personas de distintas religiones.

2. Otra de las grandes revoluciones en el seno de las familias españolas en la última década ha sido la reforma de la ley del divorcio, conocida como *ley del divorcio exprés*.

3. La nueva ley del matrimonio homosexual modificó el Código Civil y, al permitirles casarse, les otorgó derechos antes negados como la adopción, la herencia y la pensión de viudedad.

4. Los españoles ya no viven como antes. Casados o solteros, con hijos o sin ellos, heterosexuales o gays, solos o acompañados...

b. ▶ **Responde.**

1. En los últimos tiempos el modelo de familia tradicional…
a. se ha estancado, puesto que muy poca gente apuesta por el modelo tradicional.
b. ha vivido una época de expansión sin precedentes.
c. no es el único que existe, ya que han surgido nuevas formas de familia.

2. El matrimonio homosexual…
a. ha sido fácilmente admitido por la sociedad española.
b. es fruto de una larga lucha por parte de este colectivo.
c. es legal solo en dos países de la UE.

3. El divorcio en España…
a. se ha agilizado bastante en los últimos años gracias a la nueva ley.
b. se ha estancado bastante en los últimos años debido a la crisis económica.
c. supone un gasto que no todos pueden afrontar.

4. Las bodas mixtas en España…
a. son un fenómeno relativamente nuevo, hace 5 años prácticamente no existían.
b. han aumentado de forma considerable desde hace unos años.
c. son algo no muy extendido todavía, aunque poco a poco su número se incrementa.

2 Compara los modelos de familia

a. ▶ **Subraya la opción adecuada, según el texto, y completa la tabla.**

1. En 2005 la cantidad de divorcios era *superior/inferior* a los que hay en la actualidad.
2. Hace tres décadas había *tantos/menos* modelos familiares *como/de los que* hay ahora.
3. En 2007 hubo *el doble/el triple* de matrimonios mixtos de los que hubo antes de 2000.
4. En 2004 se divorciaron *tantas/tanto/tan* parejas como antes.
5. En 2006 se celebraron *menos/más* bodas entre personas del mismo sexo que ningún otro año.
6. Actualmente hay *más/menos* bodas entre personas de diferente sexo que de ningún otro tipo.
7. Los divorcios antes no eran *tantos/tan/tantas* habituales como ahora.
8. En España las personas del mismo sexo se pueden casar *tan/tanta/tanto* como otras.

> **HACER COMPARACIONES** *Gramática*
>
> **Igualdad**
> *tan* + adjetivo + ……………
> *tanto/a/os/as* + …………… + *como*
> verbo + *tanto como* + …………..
>
> **Superioridad e inferioridad**
> *más/menos* + sustantivo + *que*
> *ser* superior a *algo/alguien*
> *hay* + ………/el triple de *algo*
>
> **Inferioridad**
> *menos* + sustantivo + *que*
> *ser* …………. a *algo/alguien*

b. ▶ **Establece comparaciones a partir de los datos.**

> Los españoles tardan mucho más en casarse que antes. En 1976, la media de edad era de 24,38 años en las mujeres y de 27,23 en los varones, mientras que en 2011 esas cifras se elevaron a los 33,02 y 36,10 años.

> En México en el año 1980 por cada 100 matrimonios había 4 divorcios mientras que en el 2011 esta cifra aumentó a 16 divorcios por cada 100 matrimonios.

> En Chile, en 2009, hubo 3,3 nupcias por cada mil habitantes, en 2010 fueron 3,3 y en 2011, 3,5.

> En Ecuador, 73 579 parejas se casaron en el año 2011. Esto representa un incremento de 7 371 bodas (11,13 %) en relación a los 66 208 enlaces del año pasado.

3 Escribe sobre la familia

Elige uno de estos temas y escribe un artículo para una revista con tu opinión.

La importancia de la familia en tu país

En el texto deberás:
a) Mencionar al menos tres modelos de familia diferentes.
b) Establecer alguna comparación.
c) Elaborar una conclusión.

Diferencias culturales en el modelo de familia

Tu ideal de familia

Paso 2
Comprende e interactúa
Asuntos de pareja

1 **¿Eres una persona romántica? Completa esta encuesta y averígualo**

a. ▶ **¿Quién es el más romántico de la clase?**

¿Eres romántico?

1. ¿Qué tipo de películas o libros sueles leer?

a) Comedias románticas o novelas de amor, cuanto más <u>empalagosas</u>, mejor.

b) Tanto de suspense como de ciencia ficción.

c) Ensayos y documentales, cuanto menos fantásticos y más realistas, más me interesan.

2. ¿Tienes como foto de perfil en Facebook u otras redes sociales una foto con tu pareja?

a) Siempre, tanto en Facebook como en otras redes sociales.

b) En ocasiones especiales.

c) Nunca, eso pertenece a mi vida privada.

3. ¿Te sientes un poco incómodo si tu pareja te besa delante de otros?

a) ¿Incómodo?, me encanta que mi pareja <u>me dé muestras de cariño</u>, tanto si estamos en casa, como si estamos en un lugar público.

b) Bueno, depende de la situación. Aunque normalmente <u>vamos de la mano</u>.

c) Me muero de la vergüenza, prefiero que mi pareja me bese en privado. Cuanto más profunda es nuestra relación, menos me gusta hacerla pública.

4. Durante el día, ¿con frecuencia piensas en tu pareja?

a) No pienso en otra cosa, tanto si estoy en el trabajo como si estoy fuera me cuesta mucho concentrarme y no pensar en mi pareja.

b) No todo el rato, pero sí es cierto que siempre le dedico algún SMS o WhatsApp durante el día y cuantas más horas pasan, con más frecuencia le mando mensajes.

c) Mira, yo soy muy práctico, cuando trabajo, solo pienso en mi trabajo y punto.

5. ¿De adolescente te enamoraste muchas veces?

a) Me podía enamorar 10 veces al día.

b) Bueno, al menos una vez al año.

c) ¿Amor?, ¿eso qué es?

6. ¿Te sentirías muy disgustado si perdieras un regalo barato, pero personal de tu pareja?

a) Por supuesto, sería un horror para mí, tanto si es barato como si costó muchísimo.

b) Al principio sí, pero se me pasaría con el tiempo.

c) Si es barato se compra otro y listo. Cuanto más barato es, menos valor tiene, es obvio, ¿no?

7. ¿Sueles regalar algo el Día de San Valentín?

a) ¿Qué pregunta es esa?, ¡por supuesto! Además siempre le dedico una <u>carta o poema de amor</u>.

b) Algún detalle siempre cae, aunque si mi pareja decide no <u>celebrar San Valentín</u>, no es un drama.

c) San Valentín es una fiesta comercial, me parece una estupidez y un gasto inútil de dinero.

8. ¿Te casarías o te irías a vivir con tu pareja tras tres años de relación?

a) Por supuesto, ¿o quieres que <u>se me pase el arroz</u> y me haga mayor para casarme y tener hijos?

b) Debería meditarlo bastante, aunque no me cierro a esa posibilidad si los dos lo deseamos.

c) ¡Ni loco! Para mí el mínimo antes de tomar esa decisión son 8 o más años de relación.

RESULTADOS

Mayoría de a: Eres un/-a verdadero/a romántico/a. Esperas con ansiedad el Día de San Valentín, vives por y para tu amado/a y, si no te sientes correspondido, te pones hecho una furia. Quizás deberías relajarte un poco y querer un poco menos a tu pareja, para que no se sienta demasiado/a agobiado/a.

Mayoría de b: Eres romántico, pero sin pasarte. Sabes en qué situaciones demostrar tu amor. Tu pareja seguramente está muy satisfecha de tu nivel de romanticismo, siempre y cuando no sea un superromántico del tipo a)... en ese caso quizás tengas algún problema.

Mayoría de c: Si tu pareja no <u>ha roto contigo</u>, es que debe ser igual que tú, un robot. Deberías demostrar al menos un poco tus sentimientos si quieres una relación estable y duradera. Puedes empezar por plantearte algunos objetivos diarios o semanales para intentar cambiar esta situación. Por ejemplo, darle un beso en público, decirle que le quieres o hacerle un regalo sorpresa.

b. ▸ Escribe dos preguntas más sobre el tema y pide a un compañero que las responda. ¿Ha respondido lo mismo que habrías contestado tú?

c. ▸ Explica con tus palabras el significado de las expresiones subrayadas en la encuesta.

2 ## Opina estableciendo comparaciones sobre las relaciones de pareja

a. ▸ Fíjate en la explicación y busca ejemplos en el texto anterior.

> **OPINA ESTABLECIENDO COMPARACIONES**
>
> *cuanto más* + verbo, *más/menos* + verbo
> *cuanto menos* + verbo, *más/menos* + verbo
> *tanto si* + verbo, *como si* + verbo

b. ▸ Subraya la opción correcta y completa las frases para que se ajusten a tu opinión personal. Compáralas con las de tus compañeros. ¿Coincidís?

1. Cuanto *más/menos* caso se hace a la persona que nos interesa, *más/menos* ....

2. Soy feliz con mi pareja tanto si .... como si ....

3. *Más/Menos* estable se vuelve la relación, cuanto *más/menos* ....

4. Cuanto *más/menos* regalos se hacen a las personas, *más/menos* ....

5. Voy a querer a mi marido toda la vida, tanto si .... como si ....

6. *Más/Menos* pasión tenemos, cuanto *más/menos* ....

7. Cuanto *más/menos* queremos a alguien, *más/menos* ....

8. Para mí no son importantes las demostraciones de afecto en público, tanto si .... como si ...., esto no va a afectar a mi relación.

3 ## Interactúa y llega a un acuerdo sobre temas de pareja

▸ Debate con tu compañero hasta ponerte de acuerdo en uno de estos temas.

La mejor forma de pedirle la mano a tu pareja	Cómo romper una relación con alguien	Si le fueras infiel a tu pareja, ¿se lo dirías?
Compara diferentes formas –más tradicionales o más sorprendentes...– y elige tu favorita.	Compara diferentes formas –más dolorosa, menos traumática...– y escoge tu preferida.	Compara las ventajas y los inconvenientes y expón lo que consideres mejor.

Paso 3
Escucha y cuenta
Anécdotas de la convivencia

1 **Escucha y opina sobre la convivencia entre compañeros de piso**

a. ▶ Escucha a cuatro personas que opinan sobre las relaciones con los compañeros de piso y completa para que las afirmaciones correspondan a lo que dicen las personas.

1. Lo primero que hace Rubén cuando comparte piso es proponer ....
2. Miriam considera que el hecho de compartir piso no debe afectar a ....
3. Los amigos de Paco opinan de él que ....
4. Ana propone dos alternativas al tema de la limpieza: 1) .... y 2) ....
.... Ella prefiere la opción .... porque ....

b. ▶ Escucha de nuevo e indica tu grado de acuerdo o desacuerdo con cada opinión. Explica por qué.

	Estoy totalmente de acuerdo	Estoy de acuerdo en casi todo	No estoy de acuerdo en casi nada	No comparto esa opinión en absoluto
Rubén				
Miriam				
Paco				
Ana				

2 **Conoce la relación de los españoles con sus vecinos y aprende las formas no personales del verbo**

a. ▶ Lee y di si las siguientes prácticas entre vecinos son normales en tu país.

Dejar un juego de llaves de tu casa a los vecinos es muy recomendable porque, si algún día pasa algo (por ejemplo, te dejas la plancha puesta cuando te vas a trabajar) y tú no estás, ellos pueden acudir... o, si te olvidas tus llaves dentro de casa en un descuido, hay una solución a mano.

Un día el ordenador está roto, otro día te encuentras la lavadora estropeada o la plancha rota, ¿qué haces en esos casos? Recurres a tu vecino que es la solución que tienes más cerca. No hay nada como la solidaridad entre los vecinos de un barrio.

Un día, mi hijo de 7 años llegó llorando porque le picaba todo el cuerpo... yo vi claramente que era una reacción alérgica y tenía que irme al hospital. No lo dudé ni un instante y le dejé a mi hijo pequeño, de 3 años, a mi vecina de abajo para que lo cuidara.

Mi hermano siempre andaba suspendiendo Matemáticas y tenía que ir a septiembre, menos mal que la hija de mis vecinos era muy buena estudiante y le pudo echar una mano. Al final terminó el curso aprobando sin problemas y tuvo unas vacaciones increíbles.

Pedirle al vecino que recoja las cartas es lo más acertado antes de irse de vacaciones, ya que, muchas veces, los ladrones se fijan en si los buzones están llenos para saber si el piso está vacío.

Siempre que me voy de vacaciones, al dejarlas muchos días solas, le encargo a mi vecino de enfrente que me deje las plantas regadas y, a cambio, cuando él se va, se las riego yo. Eso es ser un buen vecino.

b. ▸ **Busca en el texto ejemplos de la explicación y elige la forma adecuada.**

FORMAS NO PERSONALES DEL VERBO

Infinitivo	Sirve para nombrar a todo tipo de sujeto u objeto (funciona como sustantivo).
Participio	Indica una característica (funciona como adjetivo y cambia el género y el número).
Gerundio	Expresa el modo como se hace algo (funciona como adverbio).

Gramática

1. *Mudarse/Mudándose* de piso es siempre muy incómodo.
2. Mi televisor estaba *estropeado/estropeando* y, como quería ver la final del Mundial, le pedí permiso a mi vecino para verla en su casa.
3. Antes de ir *buscando/buscado* piso en cualquier barrio, prefiero visitar la zona para asegurarme de que está bien.
4. Antes de *decidirse/decidiéndose* a cambiar de compañero de piso, es mejor hablar e intentar solucionar los problemas de convivencia.
5. Siempre estoy *pensando/pensado* qué es mejor, ¿*comprar/comprando* o *alquilar/alquilando* una vivienda?
6. *Compartir/Compartido* vivienda es más económico que *vivir/vivido* solo.
7. La puerta *cerrada/cerrándose*, las llaves dentro y yo fuera y sin una copia de las llaves. No tuve más remedio que llamar al cerrajero.
8. Estoy *planteándome/plantearme* cambiarme de piso, ¡no aguanto el ruido de mis vecinos!

3 Cuenta alguna anécdota relacionada con la convivencia

Elige un tema y cuenta una anécdota. Luego, un compañero debe reaccionar siguiendo las pautas.

Cuenta Una situación embarazosa que te ha ocurrido con un vecino
Reacciona Cuenta una anécdota parecida.

Cuenta Algo que siempre te pide un vecino y a ti te molesta mucho
Reacciona Cuenta un caso contrario, el de un vecino que te encanta.

Cuenta El mejor vecino que has tenido
Reacciona Cuenta un caso contrario, un vecino que no te cae bien, que siempre te molesta.

1 Practica las comparaciones con indefinidos

▸ **Haz comparaciones a partir de estos datos estadísticos.**

LOS DEPORTES MÁS PRACTICADOS SEGÚN EL GÉNERO EN ESPAÑA
(en % respecto al total de participantes)

	Hombres	%	Mujeres	%
1.	Fútbol	56	Natación	42
2.	Ciclismo	30	Aerobic, rítmica, danza	27
3.	Natación	28	Gimnasia mantenimiento	25
4.	Baloncesto	14	Ciclismo	22
5.	*Jogging*	13	*Jogging*	13
6.	Tenis	13	Tenis	11
7.	Atletismo	11	Baloncesto	10
8.	Excursión	10	Voleibol	7
9.	Pelota (frontón)	9	Atletismo	9
10.	Pesca	8	Esquí	5

Fuente: Mosquera/Puig

1. Compara los hombres y mujeres que hacen atletismo.
2. Compara el porcentaje de hombres y mujeres que practican natación.
3. Compara la práctica de *jogging* en hombres y mujeres.
4. Compara la práctica de baloncesto en hombres y mujeres.
5. Compara la cantidad de hombres y de mujeres que montan en bici.
6. Compara los hombres y las mujeres que juegan al tenis.

2 Practica y amplía cómo dar opiniones por medio de comparaciones

▸ **Elige o completa, según el caso.**

1. Disfruto de unas buenas vacaciones tanto si .... como si ....
2. Cuanto *más/menos* trabajo, *mejor/peor* ....
3. La situación política no cambiará tanto si .... como si ....
4. *Más/Menos* gente visita los museos, cuanto *más/menos* ....
5. Cuanto *más/menos* publicidad se hace, *más/menos* ....
6. Tanto si .... como si ...., no pienso volver a hablar con ella.
7. Cuanto *más/menos* practiques, *mejor/peor* ....
8. Estoy seguro de que conseguirás lo que te propones tanto si .... como si ....

3 Aprende y practica el léxico sobre las relaciones

▶ **Completa con las palabras y expresiones del cuadro. ¿A qué imagen corresponde cada una?**

> tener un lío • conocerse de vista • estar prometido • hacer amigos • amigo íntimo • relación sentimental • enemigo

a. @jramon:	….....…..… es aquel que siempre está dispuesto a escucharte, a darte un consejo sin despreciar tu punto de vista y siempre te apoyará al tomar tú una decisión.
b. @lucapolsky:	….....…..… es en mi opinión aquella persona que odia a otra y le desea o le hace mal.
c. @SergioBuenoC11:	….....…..… es un compromiso entre dos personas, que consiste en respetar al otro, darle todo su querer, estar en cada momento que se necesite. Es saber que existe una persona, a quien le importas más que nada y que haría por ti lo que otros no podrían llegar a hacer.
d. @cometa23:	Para mí ….....…..… es una relación sin compromiso y limitada por un cierto tiempo. Sería lo contrario a una relación estable.
e. @mar_mejias:	….....…..… es conocer a una persona por haberla visto en determinadas ocasiones, sin apenas haber hablado o sin haberla tratado más.
f. @rtorres_85:	Pues ….....…..… es comprometerse a casarse con alguien, ¿no?
g. @Marecica:	Pues para mí ….....…..… es establecer contacto con personas a las que no conoces en una situación informal.

4 Practica las formas no personales del verbo

▶ **Completa las frases con uno de estos verbos en infinitivo, gerundio o participio.**

> acostarme • acumular • aprovechar • buscar • casarse • compartir • emigrar • ganarla • hacer • jugar • levantarme
> • malgastar • ordenar • pasarse • perder • romper • sacar • salir • ser • sudar • vivir

1. A mí no me gusta ………….… hasta muy tarde por la noche. Yo prefiero ………….… pronto y ………….… por la mañana a primera hora, para ………….… el día.
2. Estuvieron ………….… juntos muchos años, pero dos años después de ………….…, se divorciaron. ………….… su matrimonio, Álvaro decidió ………….… a otro continente.
3. Mi madre, ………….… entre viejas cajas ………….… por mi abuela, se encontró con un álbum que contenía ………….… fotos de todos nuestros antepasados. Fue una maravillosa sorpresa.
4. Solo ………….… piso con personas de otras culturas es cómo uno se da cuenta de las enormes diferencias que hay entre unos y otros, pero también es como se aprende a ………….… ciudadano del mundo, creo yo.
5. Los niños llegaron ………….… después de ………….… ………….… toda al tarde en el parque.
6. El entrenador se dio cuenta de que la Liga ya estaba ………….… y que no podía ………….… nada para ………….…, así que decidió no ………….… las fuerzas y ………….… al equipo suplente.

Conversa

Expresa tu opinión a partir de las opiniones de diferentes personajes sobre la convivencia

a. ▶ Lee las siguientes citas de algunos personajes famosos sobre la convivencia. Explica cada una con tus propias palabras y pon un ejemplo que pueda ilustrar cada cita, ya sea real o inventado.

1 «Hemos aprendido a volar como los pájaros, a nadar como los peces; pero no hemos aprendido el sencillo arte de vivir como hermanos».

Martin Luther King

2 «Los amigos son esa parte de la raza humana con la que uno puede ser humano».

Jorge Santayana

3 «La familia supone emprender un viaje hacia la libertad».

Lao Tze

4 «Los vecinos que uno nunca ve de cerca son los vecinos ideales y perfectos».

Aldous Huxley

5 «Tolerancia es esa sensación molesta de que al final el otro pudiera tener razón».

Anónimo

6 «En asuntos de amor, los locos son los que tienen más experiencia. De amor no preguntes nunca a los cuerdos; los cuerdos aman cuerdamente, que es como no haber amado nunca».

Jacinto Benavente

7 «Lo malo del amor es que muchos lo confunden con la gastritis y, cuando se han curado de la indisposición, se encuentran con que se han casado».

Groucho Marx

8 «Es difícil ser buen amigo de los amigos, sin ser algo enemigo de la equidad».

Santiago Ramón y Cajal

9 «La familia es lo único que se adapta a nuestras necesidades».

Paul McCartney

10 «Cada uno muestra lo que es en los amigos que tiene».

Baltasar Gracián

b. ▶ ¿Con cuál de las citas anteriores estás más de acuerdo? ¿Con cuál menos? ¿Serías capaz de escribir una cita sobre el tema?